筆跡の科学

題字　峰舟書

華極の哲学

特別寄稿

筆跡研究とボディワーク研究が出会う時代を迎えて

宗教学研究者　七沢賢治

筆霊と森岡先生

本書の編集作業がまだ途上にあった頃のことですが、ご多忙に拍車をかけては申し訳ないと思いながらも、森岡恒舟先生の事務所をお訪ねしたことがありました。

話は弾み、心理学を学んだ学生時代のこと、親友の心理学者岸田秀氏との交流のこと、興味の趣くままに独習して身につけた自己流の書が筆跡研究への橋渡し役になってくれたことなど、いわば「筆跡研究者 森岡恒舟の前史」にあたる逸話から最近の研究テーマに至るまで様々なお話を伺い、大変に楽しく興味深いひと時をいただきました。終始笑みを絶やさずほがらかな調子でお話しをされていたその時の森岡先生の姿を今思い出しながら、「森岡恒舟筆跡研究」のエッセンスが集約されたといっても過言ではない本書『筆跡の科学』の刊行を大変嬉しく思っているところです。

振り返ってみると、書や文字研究に関心のある方々の間に「筆跡研究の世界に森岡恒舟あり！」との評が立つようになったのは、携帯電話もインターネットもまだおぼろげにしか現れていなかった頃のことではなかったかと思います。

それから間もなくして、情報の鮮度に敏感なメディアが「筆跡から書き手の人間像を浮き彫りにする」森岡恒舟流筆跡診断の画期的な手法に興味を抱いて、「森岡恒舟」の名とあわせて盛んに取り上げるようになり、そうした時流も一つの追い風となって、筆跡研究の世界に「筆跡診断」という新しい流れが生まれることになった……というこのあたりの事情は、本書を手にとられた方には周知のことだと思いますが、「それにしても、四半世紀以上も前に第一人者と謳われるようになった方がかくも長く第一線で見事な業績を残されているとは……」と感嘆の念を抱くのは、私一人だけではないだろうと思います。

こうした筆跡の研究者としての森岡先生の情熱は一体どこからやってくるものなのか――本書の刊行を契機に、そんなことを縷々考えていると、先般の先生との対話の中のある場面が思い出されてきます。

「七沢さんが研究されている言霊と同じような力が書かれた文字にも宿っているのではないか。実はそんなことを私なりにずっと考えてきたのですが、そういう文字の力を私流に筆霊（ふでだま）と呼んでましてね……」

こぼれるような笑みとともにこう切り出された森岡先生です。

さて、筆霊を接ぎ穂にして話はどこへつながるのかと興味深く拝聴していると、話題は進行中であった本書のことをさらりと飛び越えて、「筆霊と宇宙創造エネルギーの関係」という次の本で取り組もうと思っているテーマへと――。

「なるほど、これが森岡先生らしさの源泉……」そんな言葉がその時私の胸の中に響いたかどうか、それはともかく、筆跡と宇宙創造の力を相似と見立て、その関係を読み解こうという着眼点の卓抜さはもちろんのことですが、未知の解明に向けてまったく逡巡することのない、そのいきいきとした探究心の有り様に、筆跡研究の世界に現れた「森岡恒舟という才能」の核心が垣間見えた気がした場面ではあったのです。

「書と人の相似」を「科学」するということ

さて、本書の中で森岡先生も触れられておりますが、「書は人なり」という古来から伝え継がれ、今もよく知られた言葉があります。

多くの場合、漠然と「書かれた文字にはその人らしさが表れているものだ」という程度の意として理解され、それでまた多くの人の漠然とした了解も得られているわけですが、一歩問いを進めて、「書が書き手である人の何を表しているのだろうか?」と考えていくと、この一見簡明そうに見える言葉の奥行きが意外に深いことに気づかされることになります。

「書は人なり」を現代風に言い換えれば、「筆跡とその書き手の間には相似の関係がある」ということになろうかと思いますが、古くから行われてきた筆跡の研究というものは、筆跡の真贋を見極めるために、人それぞれが持つ筆跡の特徴の相対的な差異を比較してみるという程度にとどまっていたようです。

この流れは現代の「筆跡鑑定」へと連なるものともいえますが、推察も含めて一ついえることは、古来の方法は筆跡を残した人の人間像を浮き彫りにするような試みではなかった、ということだろうと思います。

「書は人なり」といいながら、書の特徴とその人らしさを構成する様々な要素を対照するまでには至らず、書かれた文字の特徴の相違に重きを置く古来の方法、その限界に「森岡恒舟」の天才はすぐに気がついたのでしょう。

「書」が「人なり」というためには何が必要なのか？　このシンプルな問いの突き詰めたところに浮かび上がってきたのが、「科学」という言葉ではなかったか――今、みなさんのお手元にある本書の題名を改めて眺めていただければ、こうした私の推察もお許しいただけるのではないかと思います。

「筆跡の科学」とは、文字として置いてみれば何気ないものですが、実際にすべての人がそれぞれに持つ筆跡の特徴分析を「科学」にするためには、ただ多くの文字を収集するだけでは足りないことは自明です。
そもそも特徴分析をするためには、これとこれは類似であり、これとこれとは似ているが類似ではない、ということを客観的に分ける「ものさし」が必要です。しかも、その「ものさし」は現代の科学の分野においても認められ、価値をもつ必要がある。さて、それはどのようなものか?――。

その答えは、本書の中で縦横に示されていますから、改めて申し上げるまでもありませんが、冒頭で触れたように、森岡先生が学生時代に心理学を学んでいたことや、その頃からの親友の一人に、後に気鋭の心理学者として知られることになる岸田秀氏の存在があったことなどは、想像を羽ばたかせていうなら、「筆跡研究者 森岡恒舟」を育てるために、運命の力があらかじめ用意したものであった、のかもしれません。

筆跡と書き手との間に重層的な相似の関係を見出し、筆跡から人間像を読み解けるのではないかという仮説を立てる。そして、その仮説を近代科学の一分野として発展してきた心理学の知見を基に構築していく――こうした森岡恒舟流筆跡研究の方法は紛れもなく「科学」という名に値することではないでしょうか。

実際、本書には約七十もの筆跡類型が収載されています。一文字一文字の特徴だけではなく、縦に横にあるいは二行三行にというように、文字を連ねる仕方にも心理学的な読み解きができる根拠があるとして、統計的手法も取り入れながら、森岡先生が独自に分類したものですが、その一つひとつに、筆跡と書き手の心理とを対照させた分析が添えられています。これは私の知る限り、様々ある心理学の類型分析の中でも、もっとも詳細な分析といえるものですから、それだけ精緻な検証が行われたということの一つの証明でもあると思われるのです。

「形から意識を変える」という発想と未来創造

ところで、今、時代は地球的な規模で変わりつつある、ということはみなさんも日々感じられていることではないかと思います。

デジタル化の技術というものが世界的な影響力をもってその変化を加速させているわけですが、物質的な価値観に長い間とらわれてきた人類の関心事がようやくその引力圏を抜けて方向性を変え、意識の分野へ向かって大きく転換しつつあるといってもいいかもしれません。

近年、トランステックという名称で注目を集めている意識変容に関する研究がアメリカの西海岸を中心に盛んになってきたり、広くボディワークと呼ばれているさまざまな心身の調整法や瞑想法、日本で発展した整体法などが欧米において大変な人気を集めているということも、こうした変化の例証の一つだろうと思います。

同様のムーブメントは西欧文化と親しい関係にある現代の日本でも当然見られるわけですが、みなさんもよくご存知のように、多様に展開されているボディワークの大元を探っていくと、その多くは東の文化圏で古代から継承されてきた心身の修練法（瞑想法や行法と呼ばれるものですが）に源泉を見い出すことができるということ、これは大変興味深いことではないかと思います。東洋の古代が発見し、数千年にわたって育ててきた非物質的な身体知を、ここ数世紀にわたって物質的な文明観の旗手であった欧米の文化が受け入れ始めたのではないか、という見方は説得力を感じさせます。

もちろん、こうした古代における〝ボディワーク〟は何かしら宗教的な色合いを帯びていたものでしたから、現代のボディワークとは一直線に結びつくものではありませんが、そうした過去の宗教的な意味合いや装いを解いたうえで、現代科学の検証を経由し、新たに捉え直した心身の調整法をボディワークと呼ぶとするなら、その技法はこれから迎える未来社会の象徴的な価値観の一つとして、世界的に受け入れられていくのだろうという予感を私は持っております。

それはどういうことか。端的に申し上げると、ボディワークというのは「身体から意識を変えていこうとする発想」をベースにしているということです。物質にとらわれていた意識を変えたい、物質的価値観から解放されたいという社会の潜在的な欲求と社会的体験としてのボディワークは階層こそ違え、同心円上の軌道を回る惑星のようなものかもしれない、そんなふうにも思うわけです。

さらに見る角度を少し変えて、ボディワークという身体の動きを「形」や「型」としてとらえるなら、これは「形から意識を変えていこうとする発想」ともいえます。いうまでもなく、このような発想は日本の文化が得意とするところであり、私たちが受け継いできた〝思考風土〟の中ではごく自然に現れてくるもの——と、少々遠回りしてしまいましたが、ここでようやく森岡先生の筆跡研究が登場してきます。

本書の中にこういう例が紹介されています。引っ込み思案で人前に出ることをとても苦手にしていた方が、森岡先生の筆跡分析にのっとって、筆跡を変える練習をしていくうちに、変わることがないだろうと思いこんでいた引っ込み思案な気持ちがいつの間にか消え、以来、言動が別人のように積極的になったという実例です。

これは「筆跡を〝筆跡の科学〟にのっとって変えることによって、深層の意識までも変えることができた」実例として大変興味深いものですが、この方法がまさに今お話しした「形から意識を変えていこうとする発想」の延長線上にあるものでしょう。

　このように「形や型を重んじる」ことは、以前から日本文化の特徴の一つと指摘されてきたことです。なぜそのような特徴が生まれたのか、ということについては、明快な論をあまり見かけないようにも思いますが、これは何も難しいことではなく、音一つひとつに複数の意味が階層的にたたみ込まれている言葉をふだんあたりまえに使う日本文化の中では、たとえば、文字の形からその中に階層的にたたみ込まれている様々な意味合いを読み取ろうとする発想は、とても馴染みやすく、ある意味〝十八番〟でもあるということです。

　このような時代の潮流、社会意識の転換を受けて、私は心ひそかにこのような仮説を実は立てております。それは、森岡先生が拓いた新しい筆跡研究とは、「文字を書く」ことを通して「未来社会への意識進化をもたらすボディワーク研究」の一つである——。

　もちろん、これは私の勝手な仮説ですから、森岡先生の賛同が得られるかどうかはわかりませんが、「筆跡と人間とは、深層の意識という階層においても相似の関係にある」と看破した森岡先生の卓見は、筆跡研究という科学が「個人の心理や社会意識を読み解く」ことにとどまらず、近い未来においては「筆跡から心身を治療する」段階にまで到達する、その可能性を用意しているはず……そんなことも期待をこめて構想するわけですが、しかし、森岡先生が端緒を拓いた「筆跡の科学」の歴史はまだ始まったばかりともいえます。

「筆跡の科学」が文字通り科学の一分野として、しっかりと社会の中に根を張り成長していくためには、才能豊かな後進の方々による、さらなる「網羅」「分類」「体系化」の積み重ねが求められることになるでしょう。そうした精緻な分析と検証を経た結果として、「筆跡の科学」という学問が「森岡恒舟の」という冠なしに世の中に認められるようになること、それが森岡先生がもっとも願っていることかもしれません。

改めて本書の刊行を心からお祝い申し上げます。

「筆跡と宇宙創造エネルギーの相似を解き明かす」という実に壮大な、森岡先生の次なるテーマの研究成果を楽しみに待ちながら、ひとまず筆を置きたいと思います。

令和二年の早春に

七沢賢治

凡例

＊本書の内容は、原則として著者が編集及び執筆責任者を務めた『筆跡の科学』（森岡恒舟著、日本筆跡診断士協会刊）、『筆跡特徴マニュアル』（日本筆跡診断士協会刊）に準拠しています。

＊筆跡型の表記については、著者の了承を得て、漢字と平仮名の組み合わせに統一する本書の表記ルールに従って記載しています。

＊筆跡型の名称については、本書の論旨に沿って著者と検討を行い、一部の名称において、部分的な修正、別名の追加などの変更を加えました。そのため、前記『筆跡の科学』『筆跡特徴マニュアル』とは異同があります。

新版 筆跡の科学

「書は人なり」という真理

目次

はじめに

本書は筆跡に関する研究書ですが、最初に筆跡の何を研究するのかを明らかにしておきたいと思います。

「筆跡」とは何を表すものなのでしょう?

筆跡とは普通、人間の手で書かれた文字のことを指しています。

人間はなぜ文字を書くのか、それは自分から他の人に伝えたい何らかの意志、知識等を発信しようとするためです。発信の方法としては、口でしゃべり、他の人の耳に伝える言語が最も一般的なものでしょう。人類がこの言語を身につけたことにより高等生物として他の生物から隔絶する進化をもたらしたものと思われます。そして言語に次いで文字の発明がさらに飛躍的な発展の原動力となりました。

この文字の効用の第一は、その文字に綴られた言葉から、何を伝えようとするのか意味内容を詳しく知ることができることです。さらに口でしゃべる言葉はそのつど消えていってしまいますが、一旦書かれた文字は、何年後までも保管することが可能で、また何百キロも離れた人に送ることもできます。

そうした意味内容の伝達機能のほか、東洋では、王羲之《おうぎし》や空海の書等、筆跡そのものの持つ芸術性も大きな価値を持っていました。二十世紀までの筆跡の価値は、文字が備えている意味内容を伝達する媒体としての価値と、筆跡自体に属する芸術的あるいは考古的骨董的価値が二つの柱だったと思われます。

しかし二十一世紀を迎え、筆跡研究も進んだ現在、筆跡の価値には、もう一つの新しい価値が見出せるのではないか、と私はある時から考えるようになりました。それは、筆跡が有する「第三の価値」といってよいほどの重要なものだと思い、本書を通じてみなさんにその意義と詳細な内容をお伝えしたいと企図したのですが、その話を進める前に、なぜ私が筆跡というものの研究をするに至ったのか、その経緯を簡単にお話ししたいと思います。筆跡が表す第三の価値についてご理解を深める手助けにもなりますので、しばしお付き合いください。

書こうと思っても書けない不思議。鑑真和上の「大」の字

一九七〇年代の後半、私は書道学校の先生をしていました。生徒は子供ではなく、ある程度経験があり、書道塾の先生を目指そうとする人達のマンツーマン指導が中心でした。

あるとき一般指導のかたわら、半紙に一字、鑑真和上の「大」の字を臨書（お手本を見ながら書くこと）してもらいました。

この字は唐の高僧、鑑真（六八八～七六三）が日本に正しい仏教を伝えるため、暴風雨による難破等数々の苦難を乗り越えて来日した年に書かれた書状の中にあります。太めの線で横線

の上の第二画縦線がいかにも堂々として長く、威厳に満ちた字と言えるでしょう。書道史三千年の歴史で書かれた様々の名蹟の中で、優れた字を一字ずつ拾い出して比べたとすると、私はこの「大」の字はベストテンの一字に入るであろうと思っています。

この字を多くの生徒に書かせたところ、そこで一つの発見をしました。ほとんどの生徒が縦線の頭部をこのように長く書けないのです。横に手本を置いて、この一字だけをそっくりに書くようにとくに注意して書かせるのにもかかわらず、横線の上に出る縦線の割合が、鑑真の半分程度になってしまうのです。それを指摘してもう一度書かせてもできない、何度も繰り返すと少しは突出度が増すのですが、鑑真のように長く突き出すと、どうしても手が震えて線がぶれてしまうのでした。

「もっと上へ伸ばそうとしても、どうも抵抗があってうまくいかない」

と生徒達は言うのです。

これは毛筆で書いた例でしたが、皆さん、ペンや鉛筆で試してみてください。ただ伸ばしさえすればいいということではなく、形を似せて書こうとすると、思うように書けない人が多いはずです。特に横線から上の部分は、下の部分をかなりきれいに書ける人でも、鑑真のように突出しようとすると、とたんにくずれてしまうのです。

筆跡と深層心理の関係

その頃から、どうやら心理的要因が隠れていそうだと思い始めました。

人には書き方に固有の特徴（筆癖《ひっへき》・書き癖）があって、だいたいいつも自分の書き方で安定しているものです。その筆癖には、このような横線の上の突き出しを長めに書く人やうんと短めに書く人もいます。もちろん中間派が一番多いのですが、それぞれ平素無意識的に書いてほぼ自分の範囲内に納まっているものです。無意識的に書いていつも一定範囲に納まっているということは、その範囲からはみ出そうとすると引き戻すコントロール機能が働いているわけで、それは深層心理に属するものといってもよいでしょう。

鑑真和上のように「大」の字の頭部を特別長く書こうとした時に手が震え、書けないというのは、それが平素の自分の筆癖の範囲内からはみ出す書き方になるために、深層心理からの抵抗感が足を引っぱって書かせまいとしていのではないか、ということに着目し始めたのです。

私は「大」の字を臨書してもらった生徒達の書道の段級位、平素の書き方、感想、性格、行動傾向など、できるだけいろいろ調べてみました。

そうすると、数が少なかったのですが、鑑真和上のような頭部の突出をかなりしっかり書けるのは段級に関係なく、平素のペン字などでの書き方が、頭部の突出をいつも長めに書いている人にしぼられました。一方平素の書き方で頭部突出が短い人は、毛筆の臨書でも、上の突き出しを長くすると、全体がくずれてしまってさまにならなかったのです。そして性格や行動傾向については、上への突出が短い人は、例えばグループのリーダーになって皆を引っぱっていくことの可否について質問されると、手を振って、「私は駄目です！」という仕草をします。

そのような立場に立つのはためらう、尻込みする、びびる、ドキドキする。自分はついていくほうがいい、等の言葉が返ってくるのでした。かつ、このような感覚と、縦線頭部をうんと長く突き出そうとした時の足を引っぱられるような感覚とは共通する、という感想でもありました。

最初に横線があり、その上に突き出して縦線を書く。漢字にはそういう字が沢山あります。ローマ字ではゼロといってよいでしょう。小文字のｔの字には横線と縦線がありますが、先に縦線を書くので、上へ突き出すという感覚とは違います。

「木」や「大」の字の横線の上に縦線を突き出して書こうとする行動は、大勢の中で自分が高い所に立とうとする行動と心理的に同一次元のものらしく、かつその行動を意識してやらせようとしてもうまくはいきません。コントロール機能は無意識下、つまり深層心理にあると推定されることになりました。

こうして私は人の書く文字、つまり筆跡について興味・関心が高まり、研究に没頭していくことになるのですが、その結果見い出したのが、第三の新しい価値なのです。

人それぞれの行動の痕跡。それが筆跡だとすれば・・・・・

その新しい価値とは、筆跡には書く人固有の特性が常に伴われているということです。筆跡特徴とも称し、俗に筆癖、書き癖ともいわれますが、筆跡特徴（筆癖）からは、書いた人固有の傾向を導き出すことができるのです。これが第三の価値です。

そこにどのような価値があるのか？　筆跡とは人間の書くという行動の結果、残された痕跡でもあります。そしてあらゆる行動には、行動者固有の傾向が付帯しているものです。例えば空を飛ぶ飛行機の残す飛行機雲を見ればどの機種の飛行機かわかるし、物理学でウイルソンの霧箱をくぐった粒子が固有の痕跡を残すことは、十九世紀末から知られています。白亜紀の地層から掘り出された一片の骨の化石から、生息していた頃の恐竜の大きさ、形状、草食性か肉食性かまで推定し、生息時の想像画まで描かれたりしています。そのようなことができる現代です。

人間の行動傾向の痕跡、それが筆跡だとすれば、単に伝聞としての役割にとどまらない価値がそこにあると、私には思えてならないのです。

「書は人なり」の真の意味を科学的見地から

千四百年前、聖徳太子の書かれた「法華《ほっけ》義疏《ぎしょ》」という肉筆書巻原本が現存しています。奈良の正倉院に古代東洋文化の粋として収められた九千余点の一つで、歴史上の人物として名の知られている人の筆跡としては、世界でも最古の肉筆で、保存状態もよく保たれている貴重なものです。

肉筆からは、現代人の筆跡でも古代人の筆跡でも、時代の差にかかわりなく生の息吹が伝わってきます。「法華義疏」では、ここで太子が強く筆を打ち込んだ、ここでは強くはねた、というような太子の運筆の様子までがまざまざと感じられます。そこからは、生前の太子が、字を書くとき以外の日常行動でも、こんなときにはどう行動しただろうとか、こういう場合にはどう対処しただろうかなどが、詳しく推定可能なのです。

（聖徳太子の筆跡については「法華義疏」の一部を取り上げてコラム①（222ページ）で詳しく解説していますので、そちらをご覧ください）

昔から「書は人なり」といわれてきましたが、実際にはどのように書が人なのか、具体的に科学的に分析した研究はほとんど見かけられませんでした。本書では、「優しそうな字だから書いた人は心の優しい人だ」等の昔の主観的取り上げ方から訣別して、「この線が普通よりうんと長いから派手好みだ、その理由は……」等、すべて客観的納得性を立前として研究を進めたいと思います。このような「筆跡の科学」の視点を経由することになって初めて、「書は人なり」は真理と呼ばれるに値する格言となるのだろうと確信しております。

第一章

筆跡はあなたの鏡である

筆跡特徴と性格の例

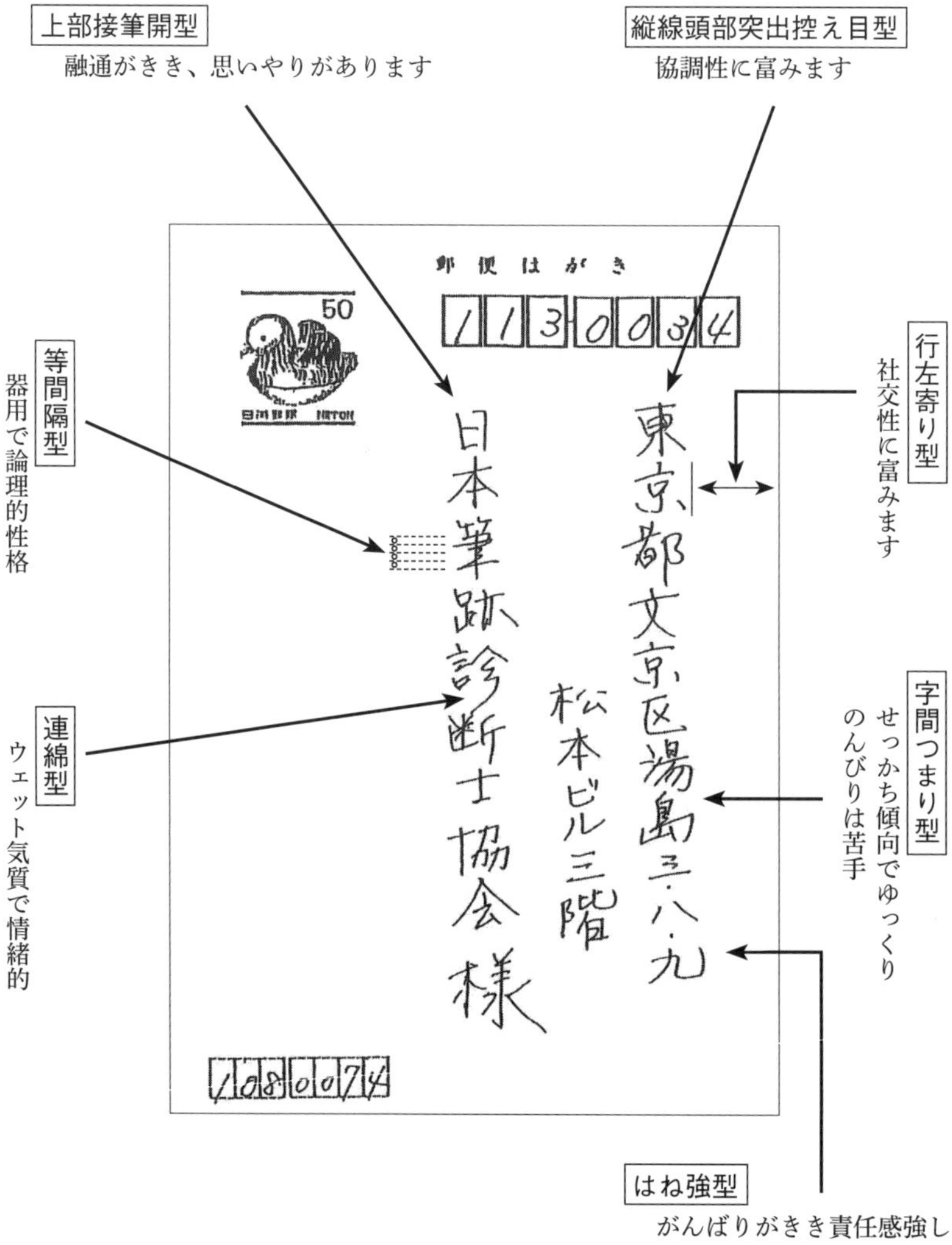
上部接筆開型
融通がきき、思いやりがあります
縦線頭部突出控え目型
協調性に富みます
郵便はがき
50
NIPPON
113-0034
東京都文京区湯島三・八・九
松本ビル三階
日本筆跡診断士協会 様
108-0074
行左寄り型
社交性に富みます
等間隔型
器用で論理的性格
字間つまり型
せっかち傾向でゆっくりのんびりは苦手
連綿型
ウェット気質で情緒的
はね強型
がんばりがきき責任感強し

「口」の字を書いてみてください。
そこから「あなた」が見えてきます

それではまず、わかりやすい例から入りましょう。

左に「口」（くち）という字のいくつかの書き方を示しました。この中で、あなたが平素書く字に近いのは、どれでしょうか？

イ　ロ　ハ　ニ

特に改まった書き方ではなく、走り書きとかメモ書きを含め、楷書でも行書でも、あなたにとって一番多いであろう書き方で書いてみてください。あるいは紙とか鉛筆が手元になければ頭の中で一旦書いておいてください。

これらの違いは言葉で表すと、「ロ」の字の第一画縦線に対し、第二画横線をきちんとくっつけて書いたのがイ、少し離して書いたのがロということになります。この部分を書道では「接筆部《せっぴつぶ》」と称しているので、筆跡学ではイを「接筆閉」（あるいは「接筆閉型」）、ロを「接筆開」（あるいは「接筆開型」）と呼ぶこととします。

なお、イ、ロの書き方のほか、厳密にはハ、ニの書き方となるケースもありますが、ここでは一応イとロの二つの書き方にしぼって話を進めましょう。

ところで、あなたはイとロのどちらの書き方だったでしょうか？　私の手元にある統計では、イもロも約四〇％ずつという結果が、ついでハ、ニが合計二〇％となっています。つまりイとロの書き方の人が多くて、かつほぼ同数ずつなのです。ハ、ニの書き方だった人もイやロの書き方は絶対にしないということはないでしょうし、もしどちらかを取るとすればやはり半々にわかれそうです。

小学校一年生の時に習う「口」の字の形は……

なぜこのような結果が出たのか、ここで考えてみましょう。

「口」の字は教育漢字で小学一年生で習うことになっています。簡単な字なので学校へ行きだして最初の頃に教科書に出てきて、教室で先生が黒板に大きく書くことから始まります。

先生はまず第一画の縦線を書きます。ついで第二画の横線を書く時、

「次の線は、初めの線から少し離して書きましょうね」

と、ロのように書く先生がいるでしょうか？

普通はどの先生も、

「次の線は、初めの線の上の方にきちんとくっつけて書きましょう」

と教えるはずです。

つまり、義務教育を通過した人達全員は「口」の字を書く時、イの例のように接筆を閉じて書くように教わっていると考えられます。にもかかわらず統計を取ってみると、「接筆閉」と「接筆開」とはほぼ同数の結果が出ました。これはどういうわけなのでしょうか？

年齢性別無作為の二百人の統計が語る「口の字」の傾向

先ほどの統計は、年齢性別無作為の二百人の「口」の書き方を比較分析したものです。仮に小学生だけに書いてもらったら大多数がイ、つまり「接筆閉」となったでしょう。そして中学、高校、大学と年齢が上がるにつれて少しずつ「接筆開」が増えますが、社会人になりたての頃までは圧倒的に「接筆閉」が多いのです。それが社会人となり三〇歳を越えてくると、いつの間にか「接筆開」の人のほうが多くなってきます。なぜなのでしょうか？

小学生が「接筆閉」で書く理由は推測できます。学校でそう教わるからであり、自分の周囲の仲間達も皆同じだからでしょう。中学、高校と長じて行っても大きな変化がないのは同じ理由からだと考えられます。

ところが、社会人となってからは少し事情が変わってきます。学校を卒業し就職すると、日常の生活で先に社会に出た人の間に入っての行動が多くなります。先輩や上司達の筆跡を始終目にするようになります。「接筆開」の書き方にもよく触れるようになってきます。とはいっても新入社員に「接筆開」の字の書き方を指導する話などは聞いたことがありませんし、本人も周囲の人が「接筆開」で書いている書類を見て、「あっ、ここが開いている！」などと意識する人などまずいないはずですが、しかし意識しないままに、いつしか「接筆開」の書き方が馴染んでいくのでしょう。

環境によって字の癖はいつの間にか変わっている

「接筆閉」から「接筆開」へ自ら意識して変化させる人はほとんどいないでしょう。従来「接筆閉」で書いていたものが何かの拍子でふと「接筆開」の字になったとしても、ある程度馴染みが進むと、違う書き方になったことにもとくに抵抗を感じないようになります。そのうち自分がどのような書き方で書いているのか意識することもなく、いつの間にか「接筆開」で書いていることが多くなっているということなのでしょう。

意識をせずに「接筆閉」で書いていた頃には無意識下、すなわち深層心理の行動管理機能が「接筆閉」になるよう書かせていたわけですが、状況が変化することにより自身に内的な変化も起こるようになり、深層心理の行動管理機能が「接筆開」で書かせるように変化したとも解釈できます。

「深層心理」のかかわりや「行動管理機能」については、本書の進行とともに詳説していくことになりますが、感覚的につかもうとしてみると、従来「接筆閉」で書いていた人が「接筆開」に変化した時、「接筆開」で書いた感じのほうがなんとなく気分がフィットするようになるらしいのです。そして「接筆閉」、すなわち第一画に第二画をぴっちりくっつけて書こうとすると、少し窮屈な苦しいような感じになるらしいのです。

信号が青になってから渡る人。青になる前に渡ってしまう人。〝行動の癖〟は〝書き癖〟にも通ずる？

この感覚は字を書く以外の日常的行動——例えば道路の反対側へ行く時は、ちゃんと信号のところへ行って青になって渡るのか、車がまだ来ないからということで信号の手前で車道に入ってしまうのか等にも通じるところがありそうなのです。

私の研究結果から見ていくと、接筆閉型は、どうやらルールを几帳面に守る人。特に四十歳、五十歳になっても「接筆閉」の人はお堅いきまじめ型の性格の人のようで、反対に早めに「接筆開」に変化する人は多少のルール違反は気にしない、まあまあと融通のきく人とみることができます。

そういった人は、われわれが社会生活をする上でルールを守っていくことは大切だが、実際にはちょっとの違反も許さないがんじがらめのあり方ではなく、「そこのところはまあまあ……」と、ある程度はさばけたあり方が多い人なのではないでしょうか。社会というものは、それであるから円滑に動いていくわけで、そういったことから筆跡の上では、社会人（ある程度社会ずれした人という意味もある）では「接筆閉」の人よりも「接筆開」の人のほうが多い理由でもあると言えるようなのです。

行動は消えますが筆跡は残ります。残るから研究の対象になるのです

先ほど触れた「接筆の開閉」と「道路を横断する行動」との相関は一つの例ですが、多くの事例を調査・分析した結果、筆跡に出てくる特徴と人間の様々の行動に表れる特徴との間には強い相関関係があることが見えてきました。両者の関係性はその種類が実に多岐にわたり、かつ強い同質性をもっていることがわかってきました。

どういうことかというと、字を書くという行動も、日常運動したり、食事をしたり、仕事を

したりする人間の行動全般も、無意識的行動のあり方を管理制御しているのは同じ心の働き（私はこれを深層心理の働きではないかと見ていますが）から生まれてくるのではないかと推論できるということです。

そうであるならば実際に筆跡の特徴がどのくらいあって、人間の他の行動と具体的にどういう点で結びつけられるのか、それを整理して一つ一つの関係を検証するのは有意義なことのはず——という仮説が導き出されてきます。

人間の行動傾向を類型分析する観点は様々あると思いますが、「筆跡」を手がかりに人間の行動分析を考えることの利点は、筆跡には「時を超えて残る」という性質があることです。対照的に人間の日常一般の行動というのは、あまりにも幅が広く漠然としすぎているうえに、ビデオにでも撮らない限りそのつど消滅していくものですから、研究対象にはなかなかなりにくいのですが、筆跡の場合はその行動のあり方が、時間的経過順に全て記録されて残っています。つまり、科学的分析・研究には持ってこいの資料なのです。ありがたいことには参考例として、厖大な先人の筆跡が残っています。歴史上有名な人物がどのような行動をしていたかは史実として記録に残されていることが多く、そこに筆跡も保管されていれば万人が納得しやすい具体例となるはずです。

筆跡の特徴のあり方は、大別すると一字一字のあり方と、紙面の中でどの位置にどの大きさでというような章法上のあり方とにわかれますが、その点については、第二章、第三章で触れるとして、ここではまず、「筆跡の特徴がどのようにして生じてくるのか」、「一字の中では特徴は一つだけなのか、いくつも複合することがあるのか」、「字に表れる特徴と、書く人の性格はどのように関係するのか」、「一旦身についた特徴は変わるものかどうか」等について触れたいと思います。

「様」の字を書いてみてください。ふだん書きなれた速さ、くずし方で結構です

ではまず先ほどと同じように、「様」の字を一字書いていただきたいと思います。特徴の研究ですから、改まって丁寧に書く必要はありません。なるべくふだん書きなれた速さ、くずし方で書くのが、一番自然に特徴が出ます。

なぜ「様」の字なのかというと、「様」は手紙を出す時など誰もが書くことが多い字で、あ

「様」を書いてみましょう

の書き方、この書き方と、サンプル例が多いからです。

この「様」の字は、木へんの第一画横線から書き始め、ついで縦線に移ります。この際、縦線を書き始めたところ（これを「起筆部」といいます）が、先に書いた横線よりどのくらい上からにしようか、と意識しながら書く人がいたでしょうか？　おそらくは、まずいないでしょう。そんなことは意識せず、横線を書き終えるとそのまま手がすっと動いて縦線を書いてしまっているはずですが、いかがだったでしょうか？　自分はどうだったか、数秒前のことを少し思い出してみてください。

さらに、第三画、第四画と手はどんどん動きます。最終画あたりでは、ここで最後ということなどから、意識して長く線を伸ばしたりすることがあるかもしれませんが、字の大部分はほとんど手の無意識的な動きのままに書き上げられていっているはずです。

そのようにして無意識的に書いた「様」の字は、平素の書き方と同じ特徴を備えていることでしょう。中にはあの書き方、この書き方といくつかタイプを変えての書き方を持っている人もいるでしょうが、いつ書いてもそのどれかのタイプの中に入るのが普通で、意識して変化させない限り自分固有のタイプの中に納まっているものです。

そのように、無意識的に手が動きながら書かれた字には、常に自分固有の特徴が出ているともいえるわけです。それは意識のあずかり知らない無意識下のどこかに、手の動きを、自分固有の特徴からずれないように管理している機能があるからと考えざるを得ないでしょう。その「無意識下の行動管理機能」、これこそが筆跡のもろもろのあり方の根底を支配しているもので、その解明が本書の重要な目標になりそうです。

わずか三画の「大」の字に表れる十五もの特徴

では、書く人ごとの固有の特徴が一文字の中にどう表れるのか、ということですが、細かく類別すると、これが意外に多いことがわかります。小学校一年生で習う、簡単な「大」の字で調べてみます。

次に挙げる各特徴は全て第二章において詳しく説明しますが、簡単な「大」の字だけで、どうやら十五種類以上の特徴が出る可能性があります。この字には「口」のような内部空間、へんとつくりの間の空間等含まれていない特徴も数多くあるわけですから、それらを含んだ字になると、一字だけでも非常に多くの特徴が生じそうです。

ただ多くの人は別に強い特徴があるとは見えない普通の字を書きます。丁度人間の容貌を考

筆跡特徴の表れる場所と種類

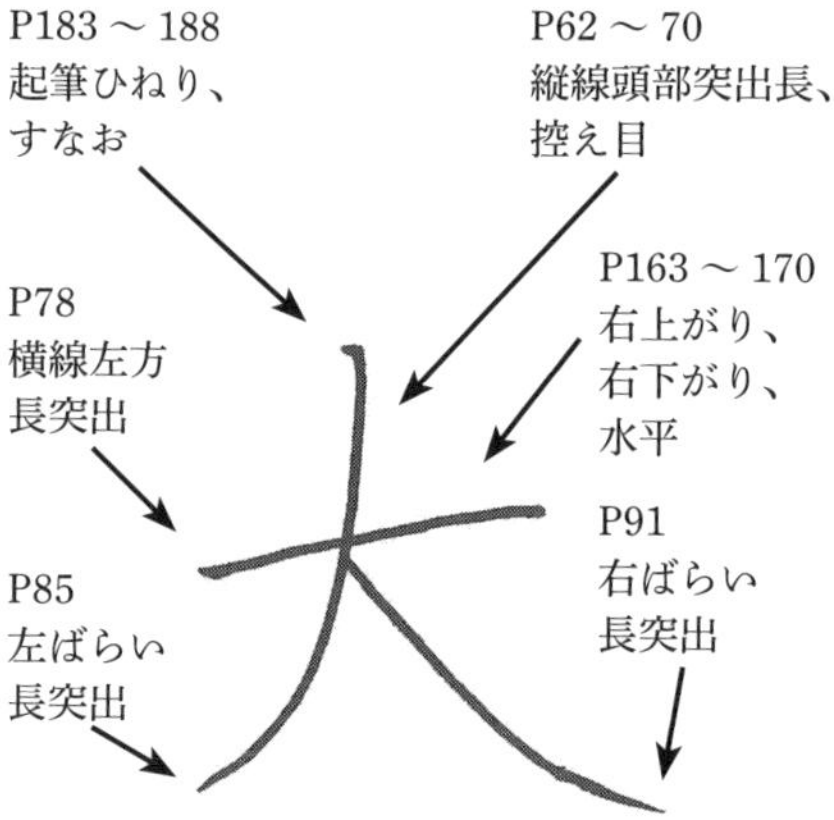

（その他）
縦長、横広、線結滞、連綿、変形字……
この字だけで 15 種類以上はありそうです

えてみるとわかりやすいでしょう。容貌の中で、目鼻口耳髪眉顎等、特徴の出る部分は沢山ありますが、その全部に強い特徴が出るなど考えられず、普通一、二ヶ所。それも特別強いとまでは言えないケースが大部分でしょう。書かれた字でも大体そのようなものです。しかし、目鼻立ち、各々それぞれ違いがあるように、筆跡でも次章であげる五十項目のどこかの違いが各々の固有の筆跡特徴を示しています。

「様」の字の木へん第二画の頭部突出の〝長さ〟。なぜその〝長さ〟に納まるのでしょうか？

先に挙げた「様」の字にも「大」の字に見られる「頭部突出」という筆跡特徴が見られます。この木へんの書き方が身につくのは、「村」とか「林」とか、ごく簡単な字からでしょう。小学一年の頃には教わります。そして「頭部突出」がどの程度になるのかは、教科書の手本を見たり、先生が黒板に書くのを見たりして、自分なりに書いてみることになるはずです。極端にずれた書き方なら先生に直されるでしょうが、多くの場合、それぞれの判断で書き、それが長めになったり、短めになったりしながら各人なりの長さに納まっていくことになるでしょう。

なぜその長さに納まるのか、それは字を書く時には心理的抵抗が起こるからです。第一には標準からの「ずれ」が甚だしくなりそうな時、そんな書き方をしたら先生から注意されるだろう、というような抵抗です。続いて第二には、自分の満足度に近い長さには抵抗がなく、もの足らない、あるいは長すぎるものには抵抗感が生じてくるでしょう。

実は小学校低学年では、「縦線頭部長突出」の度合いが強い人の比率が、大人よりかなり高いようです。第二章で詳しく述べますが、「縦線頭部長突出」は人の上に立ちたい気持ち、人から頭を押さえつけられるのを嫌う気持ちにつながっています。小学校の仲間社会に入って日が浅いと、まだ仲間と付き合う上での自分の姿勢が確立していません。筆跡にもそれが出ていると思われます。子供の頃の「縦線頭部長突出」は年齢が上になるにつれ、次第に標準に近づき、あるいは突出部が「控え目」のほうに変化したりしていくようです。

様々な書き方の癖は「誰」が決めている？

いずれにしても書く時点で、それでは長すぎるか短かすぎるか判断して、より抵抗のないほうに制御するのが無意識下の行動管理機能です。そしてその判断のためには、視覚による〝感知〟が必要です。無意識下のことですから認知ではなく感知であると私は考えます。

感知の機構は、目で見て大脳へ伝えられるところから出発するのでしょうが、『脳を究める』(立花隆著 平成13年 朝日新聞社)という本の中に、脳細胞は様々の機能を持った神経細胞の集結で、「たとえば、動くものに対してのみ反応する細胞がある。スピードに応じて反応する細胞がある。回転運動にのみ反応する細胞がある。背景と動くもののずれに反応する細胞がある。奥行の深さに反応する細胞がある。小さい光点にのみ反応する細胞がある。何かを凝視しているときにだけ反応する細胞がある。……」と、大脳研究の最前線の紹介がされていました。

これを筆跡に置き換えてみると例えば、横線の上へ突出する縦線の長さも、起筆部のひねりの有無も、それを感知するのはそれぞれ異なる脳細胞となりそうです。しかし、その感知に基づいて「どう書くか」を判断していく無意識の働きは、われわれが思っている以上に複雑なものがあるように思います。

筆跡の癖を生じさせるいくつかの法則

起筆ひねり型という筆跡特徴一つを考えてみてもそう単純ではありません。「起筆ひねり」の場合、どんな場合にひねり、どんな場合にひねらないのかなどの変化があるからです。

例えば「吉」の字の場合、左のイ、ロ、ハのような三通りがよく見られますが、それぞれのひねりに理由をつけるとすれば、イはこの字の書き始めだから、ロはこの字の一番頭に当たるから、ハはこのあたりで引きしめて書きたいからなどが考えられます。

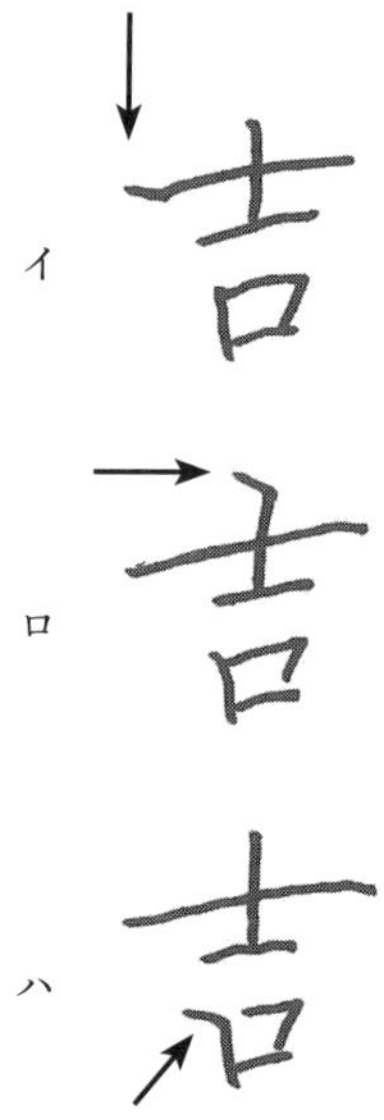

しかし、同じ人でイになったりロになったりハになったり、あるいは複合したりで定まりません。また早書きの時はどこにもひねりをつけないことも多いのです。これらが皆、無意識下

の管理機能により選択された結果なのです。

つまり無意識下ということは、その人の筆跡（筆癖）というものが常に同じになるよう機械的に決まっているというものではなく、その場の状況に合った判断力、選択力を伴って決定されている、と考えられるのです。そこには次のような法則が働いているものと思われます。

一　中央縦線の頭部でかつ縦書きでは行の最初の字の場合優先しやすい
二　最初の画にはひねりがつきやすい
三　長い線の起筆にはひねりがつきやすい
四　「口」「同」「月」等、次画が頭部に接する縦線はひねる場合が多い
五　早書きではひねらない
六　短い横線はほとんどひねらない
七　重複が多い時にはひねりを避ける

右のような条件の有無により、平素は起筆ひねり型という書き方の人でも、すべての線の起筆をひねるのではなく、パラパラと散在するのが普通なのです。しかもそれを意識してというのではなく大部分において、書く線自体は無意識的に運筆された結果なのです。

つまり、この「吉」の字で第二画縦線の起筆部を書き始めるに当たっては、無意識的ながらも頭部突出をどのくらいにするかということ、そしてひねりを書くいくつかの条件全てを一瞬のうちに感知し統一判断のもとにペンを下している、ということになるわけです。この統一判断を下すものは誰かというとわれわれ自身であり、しかもわれわれ自身気づかない無意識の中での感知をするという、非常に複雑な統一判断の上に依っているのです。それだけ人間の心理というものは複雑である、ということですが、その例の一つを次にご紹介しましょう。

筆癖にもリズムが生じます。中国唐代の名書家・欧陽詢もそうでした

中国唐代の初めに欧陽詢《おうようじゅん》という書家がいました。この人の書いた「九成宮醴泉銘《きゅうせいきゅうれいせんのめい》」という石碑の文字が、後世楷法の極則（楷書の書き方の極めつけの手本）と称され、現在の活字の文字の源ともなっています。この「九成宮醴泉銘」の拓本の一部を取り出して紹介します。

矢印は接筆部分ですが、第二章「3・「接筆部」の特徴」の項で説明する、「接筆閉」、「接筆開」の書き方が混在しています。

欧陽詢
「九成宮醴泉銘」
より一部
三井記念美術館所蔵

ここでは簡単な説明にとどめますが、「口」の字の第一画と第二画が接する左上部分、ここをきちんとくっつけて書くのを「接筆閉」、離して書くのを「接筆開」と称します。「接筆閉」「接筆開」は反対の特徴ですが、それが混在するということは、食べ物の好き嫌いを例にとるならお酒が好き、甘い物も好き、ということになるのかもしれません。しかし、好みといいながら、それが時と場によって現れたり現れなかったりするのも人間らしいところで、そうなると特徴分析も一筋縄ではいかない、ということになってきます。

ただその点については、先ほどと同様の接筆の項で述べる、人間のルールに対する姿勢のあり方を考えればよく説明がつくのではないかと私は考えています。

平素「接筆閉」の書き方の人はまじめ型でルールに忠実、潔癖傾向があります。こういう人も学生時代こそ大部分が「接筆閉」ですが、社会人になると半数以上が「接筆開」に変化していき、社会生活上もルールに対してそう厳格ではなく、まあまあそのくらいはとか、多少の融通はつけてという方向に移行していくことが多いのは先ほどお話しした通りです。

では、その「接筆開」の書き方になった人は、いつの場合も「接筆開」の字ばかり書き、日常生活ではルールを守る姿勢はなく、常に適当にという態度で過ごしているのかというと、そうではないはずです。かなりルーズと思われている人でも、公式の場では姿勢を正すでしょうし、大事な書類はきちんと書きます。そういう時の字の中には「接筆閉」が多いはずです。

ルールを守るのは大切なことですが、全てルール通りにしなければならない、とする息がつまります。時々は息抜きが必要ではないでしょうか。誰しもきちんとするところ、少しゆるめるところを、それぞれ各人なりのリズムで日常を送っていることが多いものです。そのリズムが実は筆跡の「接筆開閉」の交錯状況に表れていると見られるのです。

欧陽詢のすばらしい書にも、その人間性が表れているように感じます。

日常行動の多くも実は無意識の管理下に……

筆跡に表れる各人各様の特徴が、全て各人の無意識下の管理機能に支配されて生じてくることを、いろいろの角度から調べてきました。このあたりで筆跡、つまり書くという行動以外の他の日常行動に、無意識下の管理機能があるのかどうか。あるとすればどのように働いているのかを見ておきたいと思います。

例えばあなたが、家の電球が切れてスーパーへ買いに出かけるとします。財布を持ち、玄関で靴を履こうとします。左足が出ます。靴を履くためです。しかし別に先に左足から履けと意識して左足を出したわけではなく、平素いつも左足から履くという習慣があったとも思いません。おそらくその時の体勢が右足を先にするより左足からのほうがスムーズにいきそうだったからでしょう。左足からがいいか右足からがいいか、意識が判断して決めたわけではないでしょう。ともかく玄関で靴を履こうとし、左足が先に出、その時の左足の靴へ差し込み方の角度、腰のかがめ方、両手の位置、その時右足はどのように身体を支えていたか等々……。意識が命令したことは何もなかったはずです。にもかかわらずスムーズに靴を履けました。そこには無意識下の何かが、この行動が円滑に進行するように管理してくれていたはずです。

玄関を出て鍵をかけます。その時も、意識的に注意しながら鍵をかけるわけではなく、そのためスーパーへ向かってしばらく歩くと、「あっ、鍵をかけたのか、どうだったのか？」と不安になり、一度戻って確かめたりすることがあるくらいです。無意識の管理にまかせていることが多いからです。

道を歩く時、左側を歩くのか、右側を歩くのか、雨の後などで濡れた場所があったりすると意識が指示しますが、何もない時は無意識まかせです。歩幅をどれだけにするか、意識が考えることなどまずありません。スーパーまでの慣れた道順。この間ふと、今晩見るテレビは何があったっけ?などと考えたりすると、足の運びは完全に無意識の管理下になっていますが全く問題は生じません。われわれの日常生活の進行は、これほどに無意識の管理機能に負っているところが大きいのです。

靴を履くこと、歩くこと、鍵をかけることと電球を買いにスーパーへ行くことと、身体の動かし方はかなり違いますが、目的は意識が管理し、実際行動の大部分は無意識の管理下にあることは全く同一といってよいのではないでしょうか。

そうすると無意識下の行動のあり方にそれぞれの人固有の傾向、すなわち癖が出てきます。先ほどの横断歩道を渡る例でいえば、Ａさんは必ず信号の所まで行ってそこで折れ曲がるようにして渡ります。Bさんは信号のかなり手前から、角張らずななめに渡る傾向にあるとします。二章で詳しく説明しますが、この場合、Aさんの筆跡特徴は転折角型、Bさんは転折丸型でほぼ間違いないでしょう。

無意識下の管理機能は、字を書く時も、その他の日常行動の場合も全く同一に働くと考えられるのです。

筆跡特徴から行動傾向の設計図が見えてくる

ではこのことを、筆跡の上で具体的に説明しましょう。次頁の図をご参照ください。

「口」の字はまず第一画縦線（イ）から書きます。続いて第二画（ロ）をイに接して書こうとするか、離して（図のように）書こうとするか、社会人ではほぼ半々ですが、イに次いでロを書こうとペンを近づける時、視覚はイの位置をとらえ、このまま進むと接する、あるいは離れると感知します（実際には接するとか離れるとかの幾何学的内容ではないと思われますが）。

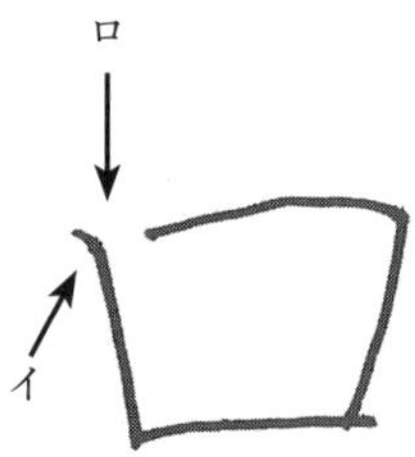

その感知した情報が中枢部へ伝達され、そのままくっつけよ、あるいは離せという指令が発せられ、その結果「接筆開」になるわけです。

この中枢部の機能は〝感知細胞〟が感知した情報を受け取り、判断し、対応指令を発する役割を持ったと言ってよいでしょう。この中枢部こそ人間の核心部分なのかもしれません。ただそれが普通の細胞なのか、蜂の巣の中の女王蜂のような存在の細胞なのか、あるいは多数の細胞の連合体なのか、位置がどこなのか等はよくわかりませんが、細胞だとすると〝感応細胞〟といってよいかもしれません。

感じて応ずることで〝感応力〟と私は読んでいますが、詳しくは後の章にて後述いたします。いずれにしても中枢部分が感知細胞からの情報を受け取り、〝感応力〟が働く時、「口」の字のイ、ロの接筆部分についてであるなら、平素「接筆閉」の書き方の人だと、ピタリ一致する見込みなら充足感、離れるようだと欠如感、反対に「接筆開」の人ならくっつくようなら苦しい感じ、離れるなら充足になろうかと思われます。

〝感応力〟の強さは、それまでの固有のあり方の繰り返しが数多く、長ければそれだけ強くなってくると考えられます。

この〝感応力〟はまた、日常生活でのもろもろの事柄につき、字を書く時と同じように抵抗力があれば後退し、充足感のある方向に引きずろうとする力を持つでしょう。

筆跡特徴というのは、突出線の方向なら縦横斜めの全方向、空間、接筆、姿勢、線質等、日常の他の行動のほとんどに対応するあり方を持っていますので、筆跡は、それを書いた人の行動傾向の設計図といってもよいくらいだと思います。

字の癖は生まれつきのものではありません。
合理的な対応をすれば必ず変わります

誰しも何らかの特徴を持っているものですが、派手に目立つ人というのはそう多くないもの

です。しかしいることはいます。皆さんの周囲にも何かと行動が目立つ人がいると思います。そして、その目立つ人というものは筆跡のほうでも、地味でおとなしいというのとは違って、どこかに強い特徴があるものです。

行動のほうでは、身振り素振りがとにかく大きい人。道で出会えば、「やー！」と手を高くあげるか、満面の笑みで近寄って来たりします。そういう人は「都」や「広」などの字で、「左ばらい」が非常に長い人が多いでしょう。文字の中の「左ばらい」は長いと目立ちます。普通の長さでは物足らないのです。人と接触する時の行動も派手になりがちです。

ほかにも、いつも明るくよく笑う人。書く字の転折部は丸いでしょう。反対に角張る度合いが強い人は気難かしく、あまり笑い顔が見られません。カドが立つという言葉がありますが、書く字だけでなく、日常行動も四角四面のようです。

この日常行動と字の特徴。意識して両方を合わせようとしているわけではありません。しかしよく笑う人は円満なのが好きなはずです。円く治めるという言葉もあります。角突き合わすのは性に合わないでしょう。書く字にも鋭く尖ったところはなくなっていきます。そして字が丸みの多い字になっていけば、日常、他の人と接触してもいつも明るい面ばかり出るでしょう。同じあり方が繰り返されると、次第にそれは身にしみついた性格となり、人間性となり、筆跡特徴となっていきます。

この書き方は彼の字だ！　一目でわかる強い特徴の字を見ることがあります。二十年も前と変わりません。強い特徴の字ほど、その書き方と日常行動が相乗作用となって身にしみついていくようです。

字は変わらないものではありません。長年書き続けた字の特徴は一朝一夕に変化するわけにはいきませんが、字の癖は生まれつきのものではなく、あとから付加されたものです。合理的な対応をすれば必ず変わります。

そして、書く字の特徴が変化すれば、それとセットになっていた性格とか行動傾向というものもいつの間にか変化するものです。それは無意識下の行動管理機能が変化しているからです。深層心理が変わったと言ってもよいでしょう。このあたりについては第四章でまた述べたいと思います。

ともかく筆跡は、当人の意識外のところで特徴が形作られているのです。そして筆跡は、書くという行動の結果ですから、書く以外の他の行動も、同じ人間の行動であれば同じ傾向が出てくるのは当然です。それはまた、筆跡の中での傾向が変われば、他の行動にも影響してくるということも意味しているのです。

第二章

文字を読む

～神は一文字にも宿る

人種別、国別、職業別、年齢別など、人の分類法には様々ありますが、日常的によく馴染んでいる方法は、性別や肉体的特徴など目で見てすぐわかる特徴から類別する方法でしょう。

筆跡でもまず目に入ってくるのは一字一字の形態的特徴です。

縦長系、横広型、右上がり、右下がり、角張った字、丸い字……等々、その筆跡の一字一字のあり方を類型的に分類すると次のような分類が考えられます。

1　線の突出

活字はすべて四角の枠の中に納まっていますが手書きの字では、ある線がうんと長くなっている字を見かけることがよくあります。これを「線が突出している」特徴とみるわけですが、重要なのはどの線が長いのか、ということ。上なのか、下なのか、書き順の途中なのか、最終画なのか等の違いによって行動傾向との関係が変わってきます。

2　字中空間

「石」の字を例にとるなら、線で四方を囲まれた「口」の部分を字中空間といいます。見るべき観点の一つは、その空間の大きさです。「里」の字のように横線が何本も並んでいる場合は、その横線が等間隔平行か、バラバラかなど、線のあり方も観点の一つになります。

3　接筆

線と線が接する部分の特徴を接筆といいますが、ここがぴったりくっついている場合、離れている場合、突き抜けている場合など、人によって異なる固有の傾向があります。

4　字の姿勢

右上がりか右下がりか、末広がりか狭まるか、傾いた字か等の特徴を見ます。

5　線の性質

太字か細字か、角が角張るか丸みがあるか、「はね」の強弱、線のふるえ等が線の性質です。

これらの類型は細分化すると五十以上になります。一字一字の特徴のほか、章法上の特徴も併せおよそ七十の項目で筆跡特徴のあり方をほぼ網羅することができます。

それでは各類型ごとに研究を進めましょう。

1 「線の突出」の特徴

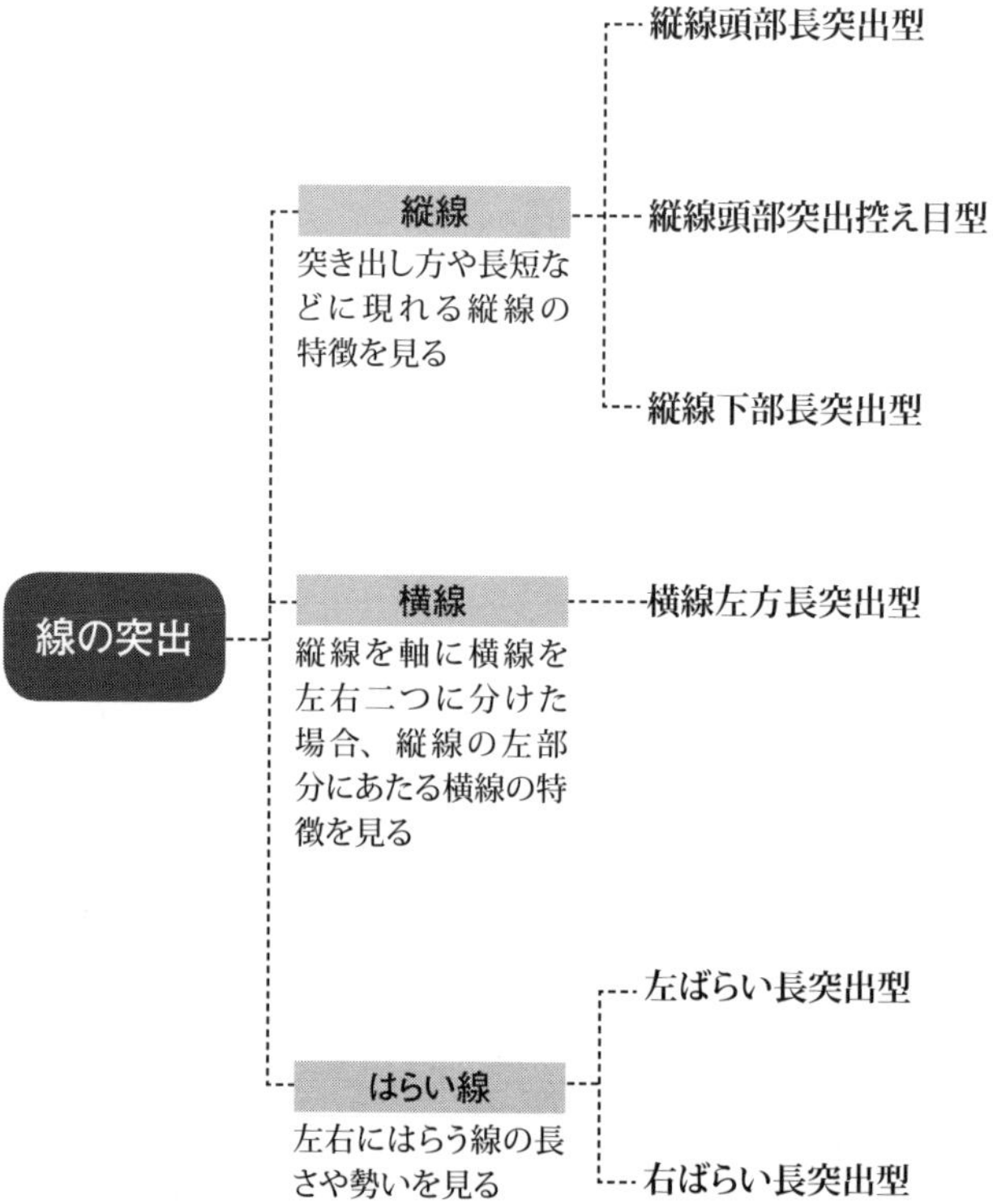
線の突出
縦線
突き出し方や長短などに現れる縦線の特徴を見る
縦線頭部長突出型
縦線頭部突出控え目型
縦線下部長突出型
横線
縦線を軸に横線を左右二つに分けた場合、縦線の左部分にあたる横線の特徴を見る
横線左方長突出型
はらい線
左右にはらう線の長さや勢いを見る
左ばらい長突出型
右ばらい長突出型

「線の長さ」が目立つ筆跡の型とは？

顎がうんと長い人がいると目立ちます。筆跡でもどこかの線が非常に長いと印象に残ります。では、非常に長いというのは具体的にはどのようなものなのか、実例から入りましょう。

鑑真和上
「尺牘」より

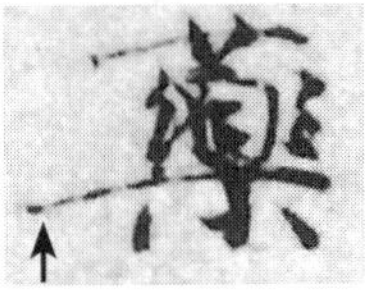
聖徳太子
「法華義疏」より

一休宗純
「自筆七絶詩」より

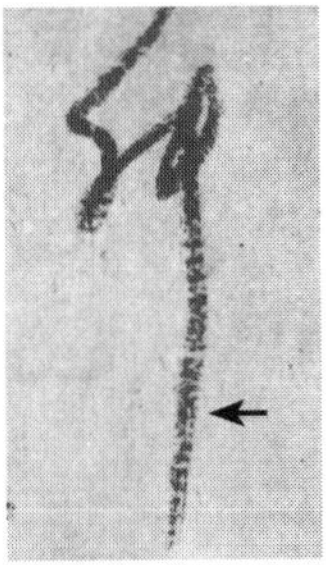
徳川家康
「自筆年貢皆済状」より

楠木正成
「自筆書状」より

どの字も矢印部分が目を見張るように長大で、皆、日本歴史では有名な人達の字です。この人達は、この字だけたまたま長くなったというのではなく、随所に同じような書き方を残しています。

なぜこのような特別長大線の書き方になったのか、それぞれ突出の方向が違うがそこにはどんな意味があるのか？　掘り下げたいことが次々に出てきます。
まずその方向の違いから整理してみましょう。

様々な漢字を調べてみると、線の方向は左の図のように八方向あることがわかります。ここにあげた字は一方向一字だけですが、あくまで代表例です。例えば頭部方向へ突き出す字なら「大、中、東、央……」なども該当しますし、「様、都、浦……」のようなへんやつくりの中の縦線部分で上へ突出可能なものも相当するのです。

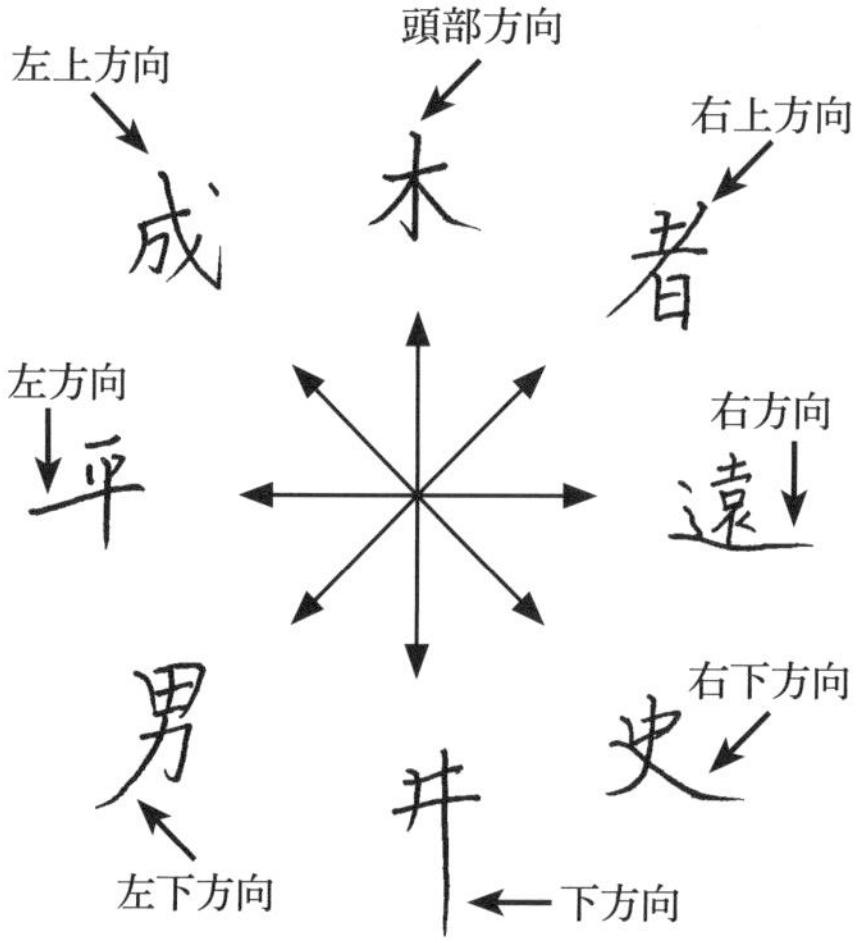

ただ八方向の中で、左上方向、右上方向となる字は字の種類、出てくる頻度がそう多くはなく、また上方への突出の心理的意味合いが「木」の字などの「頭部突出」の特質に近いので、独立して扱うより、「頭部突出」に準じる型としたいと思います。また、右方向への突出も長くなるのはほとんど「しんにょう」の収筆部に限られ、つまり「右ばらい」と同じですから、右方向、右下方向は併せて考えることとします。

そうすると線の突出方向による筆跡特徴は次の五種類にわかれます。

縦線頭部長突出型……木、東、様など
　成、或、者、身などはこれに準じる
縦線下部長突出型……井、神、都など
横線左方長突出型……平、華、号など
左ばらい長突出型……男、左、原など
右ばらい長突出型……史、大、近など

なお人間の背の高さでは、高い、普通のほか、低いもありますが、筆跡の線でも、長い、普通のほか、短い、ということが当然言えます。しかし研究の主題は特徴の解析であり、普通型は対象になりません。加えてその書き方が字として通用することも条件になります。その意味で初めに挙げた鑑真和上、聖徳太子等の字は「超長突出」ながら字として通っていますが、もし「長突出」でなく、反対に短すぎる場合に字として通用するかどうかが問題になってきます。横線左方、右方、左ばらい、右ばらい、縦線下部、どれも短すぎると字としての機能を為さなくなるでしょう。そして実際に書く人もまずいません。

ただ「縦線頭部突出」についてのみは例外です。この線を短めに書く人は非常に多く、短すぎる人、中には突き出さずに沈んでいる人もたまに見かけます。つまり重要な筆跡特徴でもあるのです。よって線の突出関係の型としては長突出の五種類に加え、

縦線頭部突出控え目型

を入れて計六種類としたいと思います。

ではまず「頭部突出」から詳しくみていくことにしましょう。

縦線頭部長突出型

総じてリーダー志向型。家庭では「亭主関白型」か「かかあ天下型」になる可能性あり?!

「縦線頭部突出」には、長突出型と突出控え目型があります。この二つのタイプは明確な相反する性格を持っており、両方の書き方も珍しいものではなくよく見かけます。つまり希少性の強いものではなく実例が豊富であり、かつ対照的な特徴のものだけに、両者を対比させながら考察すると、より正確な理解につながるでしょう。

「縦線頭部突出」の特徴を見るポイントは、すでに書かれている横線があって、その上に一

本の縦線をどれだけ突き出すかというところにあります。

「木」の字に端的にその特徴が表れますが、「大」「央」もまず横線があってそれを貫く線がどれだけ上に伸びるかという問題で、実はそこに心理的な抵抗感覚があるのではないか、と推論できます。

諺に「出る釘（杭）は打たれる」「高い樹は風当たりが強い」等があり、能力が揃っていることを「横ひと並び」と言ったりもします。まず横線があって次に一本の縦線ということは、大勢の人がいる中で、自分一人が壇上に上る感覚に通じるところがあるようです。

筆跡の特徴

類型

性格傾向

- 人の上に立とうとする性格
- リーダーシップあり
- 上と衝突しやすい

小さい字の中で、突き出し方がちょっと長いか短いかだけの一見些細なことながら、人間の心理はこうしたことに強い反応を見せます。その感覚の影響力の強さをまざまざと感じたのが私の筆跡心理学研究の事始めだったということは、「はじめに」に書いた通りです。

筆跡上の縦線頭部長突出型と縦線頭部突出控え目型は、その中間を標準的書き方とすると、両者は正反対の特徴となります。そしてこの書き方をもたらす深層心理が、人間の日常のほかの行動とどのような関連性を持つことになりそうか、縦線頭部を「長突出」で書くか、「控え目」で書くかの感覚を土台として推理内容を深めてみたいと思います。

政界のリーダーは「縦線」をどう書いたか?

縦線頭部長突出型の人に聞いてみると、縦線をぐんと上へ伸ばして書くことに対し抵抗を感じないといいます。この特徴を行動傾向に広げて考えてみると、複数の人の中にあって、自分が上に立っても引け目を感じるより、むしろそれが自然であり、反対に人に頭を押さえつけられたくない、押さえつけられようとすると反発する傾向があるのではないでしょうか。つまりリーダー志向型です。

一九七〇年代から八〇年代にかけて、「三角大福中」という言葉がはやりました。当時相次いで首相となった田中角栄、三木武夫、福田赳夫、大平正芳、中曾根康弘五名の名前から一字ずつ取った字が角三福大中（＝三角大福中）です。そしてこの五名の中で、大平正芳を除く他の四名の筆跡が、すべて超がつく縦線頭部長突出型でした。

当時自民党には五派閥があり全員が総理総裁の座をめぐって熾烈な争いを続けていた頃です。大平派以外の四人の派閥の長、三角福中の四人の筆跡が、そろいもそろって二、三百人に一人くらいの頭部長突出型の持ち主で、皆、人の風下に立つのはがまんならず、自分が上に立ってリーダーシップを発揮したい人達でした。それで総理・総裁の座の争奪戦もすさまじいものでした。最近の政争のあり方よりはスケールが大きかったように思われます。

ひとり大平首相は有能な人格者ではあったが、統率力についてはとやかく言われていたものです。しかし首相になってトップに立ち、政治家として優れた実績を残しました。頭部長突出型でなければリーダーに適さないというものでもありません。これについては頭部突出控え目型の項でまた述べたいと思います。

田中角栄元首相の「不動心」。署名の上に「越山」とある

大平正芳元首相の「着々寸進洋々万里」

三木武夫元首相の「無信不立」

当時内閣総理大臣であった中曾根康弘元首相の「正氣堂々」

福田赳夫元首相の「百煉成鉄」。福田首相だけ名字の署名がない

昭和六十年自民党歴代総裁色紙カレンダーで紹介された筆跡です。最近の政治家の筆跡と比べるとそれぞれ強烈な個性を感じさせられます。

いずれにしても強力なリーダーシップの裏付には頭部長突出型の筆跡特徴があるケースが多いのです。ただ、リーダーシップなるものの構成要素は人の上に立ちたいという気持ちが強いだけではどうにもなりません。優れたリーダーシップのためには、優れた知性、責任感、包容力、公正さ、忍耐力、その他いろいろと必要条件があるはずです。それが欠け、あるいは不足して「縦線頭部長突出」が強いだけでは、単に自分の我を通したいだけ、上の人にも突っかかりやすい、自己主張が強い等となるおそれがあります。

なお、縦線頭部長突出型の人は家庭では男性なら亭主関白型、女性であればかかあ天下型の確率が高いでしょう。

縦線頭部突出控え目型

向上心・出世意欲はあるが、「他人を押しのけて」というのが肌に合わない「協力型」

この書き方をする人は、鑑真和上の「大」の字を見て、そっくりに書こうとしても、横線より上の突き出しがどうしても長く伸びないのです。平素書いている字も、「様」の字の木へんの頭部など、出ているのかいないのかはっきりしないこともよくあります。

日常生活で出しゃばるのは苦手。頭（腰？）の低いほうの部類に入ります。何か計画を立てる時には、自分が立てるより決まった計画に従うほうを好むでしょう。命令するより協力型。威張ったり鼻にかけたりすることがないので、上役には引き立てられるほう。同僚にもあまり敵がいません。

筆跡の特徴

上への突き出しが短いか、ほとんど無い

類型

性格傾向

- 自己主張が控え目のタイプ
- 協調性に富む

社長の筆跡。圧倒的に多かったのは……

出世とか向上の意欲はあるのですが、人を押しのけてというのが肌に合わないタイプです。

それでは出世する人は少ないのかというと、実はそうではありません。社会的地位の高い人も随分多いのです。

二十年ほど前、ある雑誌に「社長の筆相学」と題して大企業の社長・会長達の筆跡解説を何年間か連載したことがありました。その時、合計数十名の経営者の筆跡についての研究を掲載したのですが、大企業のトップの場合、頭部突出控え目型の人の方がずっと多かったのです。

大企業の社長・会長で縦線頭部長突出型の人はほとんど創業社長でした。自分の決断で方向を定め、自分が先頭に立って会社・社員を引っぱっていくのが創業者のようです。創業者が気おくれしたり、人に譲る気持ちが強かったりしていては、会社を立ち上げ発展させることは難しいと思われます。

一方既存の会社で、推薦、抜擢等で社長になった人は頭部突出控え目型の人が多いようでした。とくに財閥系の会社がそうでした。現在と違って三十年ほど前には、同系企業間での人間関係とか、銀行との関係などが社長となるための重要な条件でもあったようです。頭部長突出型の人はどうしても上位の人を立てるより以上に自己発現をしたい気持ちが強いのです。それは上位の人からはなかなかよく思われず、引き立てられにくいものです。

それに対し頭部突出控え目型の人は自分の立場をよく心得、上位の人への協力姿勢、忠誠姿勢に徹することが可能です。その上、重役陣にまで昇進していたとすると、普通以上に頭も切れるはずです。独善型ではありませんから、社内外の人間関係も良好と見てよいでしょう。次期社長決定に力のある人にとっては、自分の期待する方向に沿った人材と認識しやすくなるはずで、すなわち次の社長に推薦される可能性が強くなってくるわけです。

それでは頭部長突出型の人はいつ書いても必ず頭部長突出で、頭部突出控え目型の人は常に控え目の突出かというと、そうではありません。書く文字は、印を押したようにはいきませんから、誰しもある幅を持っていて、ここからこの範囲という幅の中で書いているわけです。

頭部長突出型の人は、「長突出」という程度を中心として「普通」から「超長突出」の間くらい、控え目型の人は「超控え目」から「普通」との間の幅、そんな範疇の幅になるでしょう。長突出型の人が控え目の書き方をしたり、控え目型の人が「長突出」の書き方をすることはまず考えられません。

筆跡特徴とはこういうものです。字を書く以外の人間の行動も、リーダーシップに富むと思われている人がそうでないときがあったり、ごく普通の人が何かに際してリーダーシップを発揮したりすることがあり得るのと同じです。

つまり筆跡には、その人の行動傾向がある幅を含めて表れているのです。その幅のあり方の研究も重要な問題になってくると思いますが他の筆跡特徴でのケースと併せて説明しましょう。

縦線下部長突出型

努力が苦にならない本物の〝努力型〟

筆跡の特徴

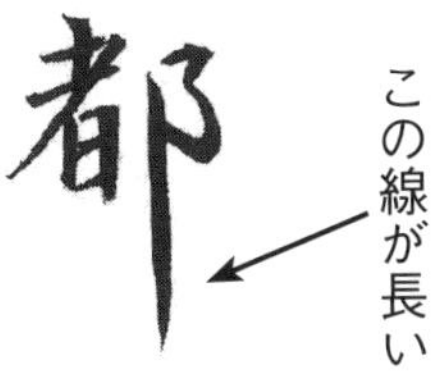

類型

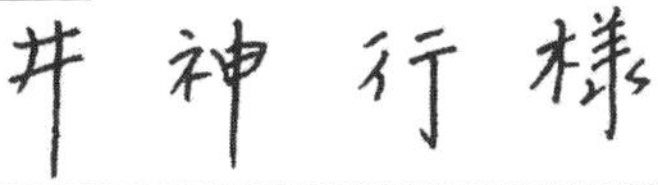

性格傾向

- 平凡では満足できない
- 何をやるにしてもできるだけ良い結果を出そうとする気持ちが強い

「井・都・中・申…」字の最終画としての縦線を持つ文字を思い浮かべてみてください。この縦線の収筆部を下へうんと長く引き伸ばす人がよくいます。

歴史上の人物としては59頁に徳川家康の筆跡を挙げましたが、次のような例もあります。

これほどに長い書き方はまれな部類に入りますが、かなり長いと感じる筆跡に会うことは珍し

平重盛〈申〉「自筆書状」より

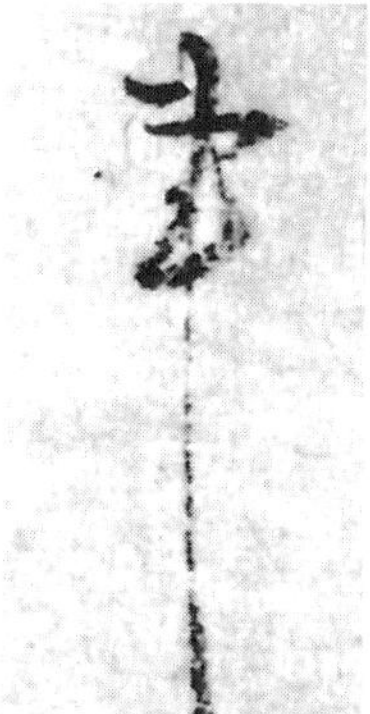
明智光秀〈事〉「自筆覚書」より

伊藤仁斎〈柳〉「自筆題言」より

くなく、またとくに気がつかないまま、長めの書き方を目にしているケースは日常のことでしょう。

それではこの最終画縦線を長く書く心理構造について考えてみましょう。

まず、原稿用紙のます目の中に納まるような普通の書き方、その書き方の人が実際は大部分でしょう。ところが勢いよく書いて枠の下にはみ出す人もいます。なぜそのような書き方になったのか？　他の人の筆跡に長めの縦線があるのを意識したことがあり、その記憶に引きずられて自分もふっと長く書いた、という経験が土台になっているのかもしれません。

ふだん長くしないのに長くなってしくじった、と感じる人もいるでしょう。反対に長く書いたことですっきりいい気分になる人もいるかもしれません。字の中の小さな部分のことなので、いずれにしてもほとんど意識にまではのぼらないはずです。無意識であっても、長く伸ばすのが自分にフィットし、気に入った感じがした人はそれから以降、次第に縦線下部長突出型の書き方になっていくことが考えられます。

どのような人が縦線を長く伸ばすのが自分にフィットすると感じるのかそれを考えてみましょう。私が以前勤めていた会社の場合では、役員、部長、課長、係長、主任、一般社員の系列では、地位が上の人ほど縦線下部長突出型の比率が高く、一般社員にはほとんど見られませんでした。

この違いが生じる理由として、年齢の違いも考えられるかもしれません。一般社員、主任、係長、課長と地位が上がるにつれ、平均年齢は上がります。若い人など「横書き」の習慣が強いので縦線長突出型は出にくいといえそうです。若い人はパソコンや携帯メール使用の比率が高くなり、ペンで字を書く機会が激減している時代でもあります。字を書くことが少なくなれば、学校で教わった書き方がそのまま続いて、自分独自の書風が育ちにくいともいえるでしょう。

しかし、すでに成人している人の中で、縦線下部長突出型の人の比率が地位が上にいくほど高くなるのは、次のように考えられないでしょうか。

そもそも、最終画縦線を、その最終画が書かれる前にほぼ納まっている文字の構造枠からぐんとはみ出して下へ伸ばすのは、そうすることが書く当人にとって気分がいいからです。字を書くのは普通他の人に見せるとか、後々のために記録に残しておくとか、伝達すべき内容を意識して書くのであって、書く字の中のある線を長くしようとか短くしようとかが意識の中心には無いでしょう。無意識に書いているとすれば、その運筆は一番抵抗の少ない経路を選ぶはずです。抵抗が少ないということは、スムーズに気分よく進行するあり方といえるでしょう。

普通だと全体の構造枠に納まるところをはみ出して長く引き伸ばすのには、余分のエネルギーを要します。そうはさせないように引き止める力が働いてもよいところです。

この型の人は、他の人が十の量の仕事をする時に、十二とか、十三の仕事を、あるいは二十とか三十のエネルギーを要する仕事をしようとする人かもしれません。また、仕事の質をもっとよくとか、もっと早くとか努力する習慣の人かもしれません。多くの人がほぼ同じレベルの仕事をしている中で、もっと多くの量を、もっと早く、もっと質のよい仕事をする人がいれば、その人が出世していくのは当然です。ただ闇雲に「努力しよう」と意気込むだけでは長続きしません。努力を努力と思わず、意識せずとも精進し続けられる姿勢こそが本物で、それが筆跡にも表れているようなのです。

蛙に学びを得た小《お》野《のの》道《とう》風《ふう》も天性の努力家でした

平安時代に小野道風という書家がいました。書の勉強を志した若い頃、いくら書いても満足いくようなものが書けず、自分の才能に自信を失いかけていたある日、庭のしだれ柳の長くぶら下がった一本の枝の下に、一匹の蛙がいるのを見かけました。その蛙は柳の枝にぶら下がろうと跳びつくのですが、何度跳んでも跳びつけず空しく落ちてしまいます。落ちても落ちても、蛙はまた枝に跳びつくのでした。そしてやっと蛙は跳びつくことに成功しました。

それを見ていた道風は心を新たにして努力し、ついに日本三筆と称される書の大家になったといわれています。

道風の字にはこの「新」の字のように、長く伸びた線がよく見られます。柳の垂れ下がった

小野道風〈新〉
「屏風土代」より

枝のように長いが、しかし太くたくましい線です。かつ線の下側ですっと細かくはらうのと違って、ここで左にはねます。最後の最後でそこでまた力を入れるのです。小野道風は、昔から日本では柳に跳びつく蛙の話とともに努力人として有名でしたが、道風の長い縦線と下端の「はね」は柳に跳びつく蛙の姿を、まざまざと思いおこさせるものがあります。

なお縦書きの進行方向から見ると「右ばらい」も右へずれるわけで、その点、「縦線下部長突出」が一番抵抗が少ないことがわかります。実際、「左ばらい」「縦線下部」「右ばらい」この三つの中で「長突出」が出てくる頻度が圧倒的に高いのは縦線下部長突出型です。

ともかくレベル以上を求め、普通並では満足できない感覚の持ち主といってよいでしょう。普通並にやって満足している人と、意識しなくてもそれ以上のことをやろうとする習慣がついている人との間には、自然と差がついていってもおかしくはないのではないでしょうか。

会社での役職と縦線下部長突出型の相関関係とは？

以前ある会社で、経営者から社員まで百人あまりの筆跡を調べたことがあり、この縦線下部長突出型を見てみたところ、役職のない社員から主任、係長、課長と地位が上がるにつれ、縦線下部長突出型の人が表れる率が高くなってきたことを記憶しています。

こうした調査を基に昭和六十二年、『社長の筆相学』という本を出し、当時の企業の社長・会長の筆跡特徴を発表した折、大企業役員では六割以上の人が縦線下部長突出型の書き方でした。一般的にはこの書き方の人は一割未満と思われます。ちなみに当時調査の中でとくに「縦線下部長突出」の度が人並みはずれて大きかったのは、大塚製薬相談役大塚正士氏、アサヒビール会長村井勉氏、東京電力会長平岩外四氏でした。

大塚正士氏（大塚製薬相談役）

村井勉氏（アサヒビール会長）

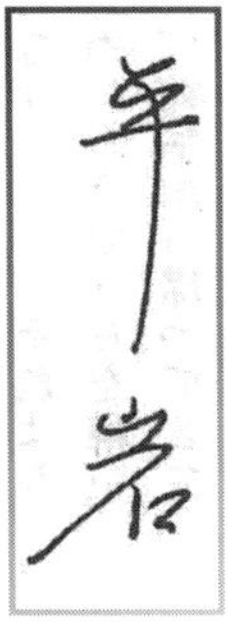

平岩外四氏（東京電力会長）

すべて雑誌「致知」【筆相の人物学】（森岡恒舟）より

横線左方長突出型

代表例は「聖徳太子」「最澄」「大久保利通」。そのココロは？

筆跡の特徴

左へ長く突き出す横線がある

類型

性格傾向

- 才子型、才女型
- 頭の回転が早い

59頁に聖徳太子の書いた「薬」の字を紹介しましたが、「木」の部分の横線がこんなに長く突き出した例は非常に珍しいのではないかと思います。代表的な横線左方超長突出型の字です。

聖徳太子（五七四〜六二二）は今から約千四百年前の人です。憲法十七条の制定や中国へ遣隋使を派遣したことで有名で、しばらく前までは千円札や一万円札の肖像に使われてお金の代名詞になっていて、知らない人はないくらいでしょう。その聖徳太子の「薬」の字、この字だけでなく、「華」とか「号」とか、太子の自筆として正倉院に保管されている「法華義疏」には横線左方長突出型の字がふんだんに出ています。

　歴史上著名な人物で、この横線左方長突出型の書き方をした人の例をいくつか紹介しておきましょう。どのような人がこの書き方をしていたか、それがどんな字だったか目にすることはこの筆跡特徴の理解にプラスになると思います。

　聖徳太子は頭脳明晰な人として有名でした。十人からの同時の訴えを一ぺんに聞き分け、即座に裁定したと言い伝えが残っています。才気煥発という言葉の代名詞のような人でした。

横線左方長突出型の例を左に四点挙げてみました。最澄は空海と同時に遣唐使に従って中国へ留学した人。中国でも秀才で通り、仏教の教義学問を習得して、帰朝して比叡山を開山、天台宗の祖となりました。

大燈国師は、鎌倉後期、花園天皇の帰依を受け大徳寺を開山した臨済宗の僧です。

真田幸村は、豊臣家に殉じ、徳川家を悩ました名将。その智謀は講談でもよく知られています。

大久保利通は、明治維新の大業を西郷の肝、大久保の智で達成したと称される頭脳派の人です。

最澄
「自筆尺牘」より

大燈国師
「與宗悟大姉法語」より

真田幸村
「自筆書状」より

大久保利通
「自筆書状」より

これでみると、横線左方長突出型の人達はとくに知能に優れていたようです。歴史上有名な人となると皆頭の良い人ばかりと考えられますが、この横線左方長突出型の人達には中でも際立った印象があります。

なぜそうなのか？

横線左方突出型の人達だけが頭がよくてそうでない人はすべて並の頭だ、というわけではないでしょう。「才気がほとばしる」と言ったりしますが、一方では、「脳ある鷹は爪を隠す」という言葉もあります。

そうするとどうやら、才気とか能力が独立して別にあって、それをほとばしらせようとする傾向の人と、秘めてあまり外へ出さない傾向の人の違いがあるのかもしれません。

才気の実体があっても、いつもそれを秘めて外に出そうとしないとだんだんなまっていくでしょうし、反対にほとばしらせることが多いとその良否も問われる中で磨かれていく、ということもあるでしょう。

毛遂《もうすい》の筆跡がもし残っていたとしたら

「嚢《のう》中の錐《すい》」という言葉があります。「袋に入れた錐《きり》」ということです。

古代中国の戦国時代、趙の国は隣の秦（後に始皇帝の代になって中国全土を統一）に攻められて苦境に陥っていました。趙には当時平原君という貴族がいましたが、国王はもう一方の強国楚に援軍を求める使者として平原君《へいげんくん》を立てました。亡国寸前の趙に味方して救ってほしいというまことに難しい役目でした。

平原君は孟嘗君《もうしょうくん》を筆頭とする戦国四君子の一人で義侠の人でもありました。食客（客という名称の居候）を三千人もかかえていたとか。使者となって楚国へ出発にあたり、この食客の中から優秀な者二十人を随員とすることにしました。が、実際に選ぶ段になって十九名までは決まったのですが、あとの一人、選考レベルに達しない者ばかりで悩んでいたところ、毛遂という食客が出て来て私を入れてくれませんかと言います。

「あなたのことは知らなかったが、私のところへ来てからはどのくらい経つのか？」

平原君が聞きました。

「三年になります」

「才能ある者は、例えば錐が嚢の中に入っているようなもので尖った先端がすぐ外へ突き出すはずだ。三年もの間私が知らなかったということは、あなたではこの仕事は無理ではないか？」

「私は一度も嚢の中に入れてもらったことがなかった。入れてさえいただければ、先端どころか柄まで突き出してみせましょう」

平原君は毛遂の迫力に感じて随員に加えました。そして毛遂はその地で他の十九人が足下にも及ばない活躍をして、平原君に功をなさせしめたのでした。

毛遂の筆跡が残っていたとしたら、おそらく横線左方長突出型だったろうと思われるのです。参考に現代人二百人（性別・年齢・職業等無差別に選んだ男八十名、女百二十名）の筆跡の中で横線左方長突出型に入る十名の例を紹介します。

この十名の人に私は会ったことはありません。才能優秀かどうかの確認はできませんが、なぜこのような書き方となるのか心理分析をしてみましょう。

現代人の横線左方長突出型

才能豊かで積極的に鋭鋒を露わす。
一方で、その才能が裏目に出る場合あり

縦線頭部長突出型の場合は並から抜きん出る感覚でしたが、横への突出となると少し違った意味があります。

もともと文字というものは、いくつかの線や点が集まり、その点画が各字ごとに一定の秩序を保って組み合わさった集団です。線や点がそれぞれ勝手なあり方をせず、組織の枠の中におさまろうとする性質を持っています。

ところが先の「京」の字は第二画横線が枠を破って左にはみ出そうという形になっています。しかもこのはみ出しは左ばらいや右ばらいのように手の動きの調子で長く引き伸ばされたものではなく、線の書き始めが遠く左方へ打ち込まれた形なのです。そして縦書きで書き進んでいく中での「左方突出」は一定の幅の中から、進行方向とは直角の方向に突出するわけですから、地震計に表れる振幅のようなものです。つまりエネルギーが普通以上に必要なのです。小さな字の、ほんのわずかの長さなので大したことではないと思われるかもしれませんが、数多く累積すれば、当然大きなものになってきます。何よりも普通の人のエネルギーの使い方以上のものをそこに投入する習慣というものが、他の日常行動と関係しないはずはないということが重要なのです。

横線を普通より長くするのに要するエネルギーは物理的よりも心理的エネルギーでしょう。

横線左方長突出型の書き方をする人の深層心理には、自分の心の中にわき出てくる考え、意見、希望、アイデアその他のものを内にため込んでおかず、外へ出したい気持ちが強いのではないでしょうか。大燈国師のような超長突出型の字は、外へ出したいというより、ほとばしらせたいという感じです。

「能ある鷹は爪を隠す」に対し、才能豊かな人で横線左方長突出型の人は積極的に鋭鋒を露わしていくようです。ただ時にはスタンドプレーになりやすかったり、たいへん気前が良かったりしがちです。いい恰好しがちという傾向も出てきそうです。

聖徳太子が遣隋使に持たせ、隋の煬帝を激怒させたという国書「日出る国の天子、書を日没する国の天子に致す。つつがなきや」などは歌舞伎の大見得のような格好の良い文書としても有名ですが、煬帝にとっては、東方の小国の思い上がりの言葉と取れたかもしれません。超長突出型の聖徳太子ならではの歴史の一幕だったと感じられます。

左ばらい長突出型

少数派だが、筆相でいうなら華やかな〝スター相〟あり！

横線左方長突出型の人はよく見かけますが、左ばらい長突出型はそう多くなく、歴史上の人物では前掲した一休宗純とか、源義経、武田信玄の筆跡が目立つ程度です。

筆跡の特徴

左ばらいが長い

類型

性格傾向

- 目立ちたがりや
- 華麗志向型
- タレントなどに多い

一休宗純
「自筆七絶詩」より

源義経
「自筆金剛峯寺衆徒解文外題」より

武田信玄
「自筆願文」より

この左ばらい長突出型の持つ意味は、横線左方長突出型及び右ばらい長突出型と併せて考える必要があります。

なぜかというと、字の左方向へ長く長く突き出るのは同じなのですが、横線左方長突出型が最初に打ち込む起筆部分が長く突き出るのに対し、左ばらい型は、字の内部から左下方向へ向かう線の延長が長くなる、ということだからです。最初が本体から遠く離れるためには、瞬発力的な一種のエネルギーが必要と思われますが、延長線上の収筆部が長くなるのは、惰性とか、ずるずるという感覚も考えられるからです。

右ばらい長突出型の場合も、収筆部が長くなるという点では左ばらい型と同じです。ただ、違う点は「右ばらい」はほとんどその字の中でのおしまいの部分で、ずるずる延長という感覚も納得できるのに対し、「左ばらい」の多くは、おしまい部分でなく、まだ次に書かなければいけない画が残っているということです。「大、木、合、原……」どれも最終画ではありません。「左ばらい」の先端は次に書く画の起筆部とは反対の方向です。それを長く伸ばそうとするのは、エネルギーのロスが前提になります。

にもかかわらず、一休宗純のようになぜ長く伸ばすのか、ここにはやはり心理的エネルギーが働くからと思わざるを得ません。

とんち和尚、一休さんの場合

一休宗純——一休さん、とんち和尚の通称でご存知の方が多いでしょう。

お寺の小坊主の頃から頭が働き、とんち小僧で有名でした。檀家の人がからかってやろうと思い、

「ご馳走してあげるから遊びにおいで」と誘い、どうしても通らないと行けない道の途中の橋のたもとに、

「このはしわたるべからず」

子供なのでかなで書いた立札を立てておいたところ、堂々と渡って来ました。

「あの札を読めなかったのか？」

「はし（端）と書いてあったので真ん中を渡って来ました」

こういう具合です。

一休さんは元は天皇の落し胤、事情あってお寺で育てられ、成人して後も僧侶の道を歩みました。詩や書画に巧みで、重要文化財になっている作品も数多く残っています。奇行が多く狂

雲と号していました。

このとんちや奇行は人に目立ちます。華やかで派手ともいえます。そこまでやらなければ目立ちもせず、派手にもならないともいえます。

「左ばらい」を人並以上に長く書く、そこには普通の長さの伸ばし方では物足りない何かがあるからではないでしょうか。うんと長く書くと当然目立ちます。派手にもなります。奇異に受け取られることもあるでしょう。どうやら重要文化財となっている一休和尚の書の中に随所に見られる「左ばらい」の長大さは、和尚の日常生活のあり方にも合致しそうなのです。

悲劇のヒーロー、源義経。まだ少年の頃、京都、五条の橋の上で荒くれ法師弁慶を手玉に取った話、ひよどり越えの逆落し、屋島、壇の浦、静御前。義経の生涯はいかにも華やかで、その行動は常に際立って目立っていました。彼の筆跡には左ばらい長突出がふんだんにあるのです。

武田信玄に華麗相があったとは驚きですが、信玄は「風林火山」の旗印を立てるなど、美意識の強い武将だったのではないでしょうか。服装等、あるいはおしゃれの一面もあったのではないかと思われます。

タレントには左ばらい型になる人が多いようです。字として意味が正確にわかり、整った字であるためには「左ばらい」は普通の長さで良いのですが、普通以上に長くすると目立ちます。

目立ったとしてもきたなくなっては論外ですが、そこに何らかの美しさも加わった字になると魅力があって目立つ。筆相という言葉を使えば、つまりスター相です。

　長いだけでぎこちない伸ばし方だと魅力は伴ってきません。自然に伸ばせる深層心理の行動管理機能が身についていると、日常行動でも華やかで目立つあり方が自然に備わってくるでしょう。意識せず、自然に書ける人と書けない人の差です。意識することなく「左ばらい」を長く書いている人は、他の日常行動の端々に、なんとなく自然に華やかさが出てくるのではないでしょうか。

現代人の左ばらい長突出例

無作為抽出200人の筆跡から
左ばらい長突出順位7名の例

33才 会社員
男性

54才 歯科医
男性

37才 販売員
男性

21才 事務員
女性

16才 学生
女性

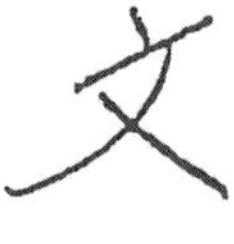

28才 主婦
女性

41才 会社役員
男性

右ばらい長突出型

一心不乱の投入傾向あり。人のタイプでいうなら〝楠木正成型〟

筆跡の特徴

右ばらいが長い

類型

性格傾向

- ●感激とか感動しやすいタチ
- ●入れ込み型

次に59頁の楠木正成の字を再掲、吉田松陰の字も挙げてみましょう。

楠木正成は鎌倉時代の終わりの武将。時の北条政権を倒そうとの後醍醐天皇の勅に応じて挙兵し、千早城に籠って北条の大軍を一手に引き受け、勝利に導きました。後、足利尊氏が叛いて湊川の戦で敗死しましたが、忠臣の鑑として、昭和二十年の日本の敗戦までは、歴史上第一等の武将とされていたものです。

この正成の自筆書状（金剛寺衆徒宛）の筆跡が残っており、その中には、ここにあげた「東」の字のほか、長い「右ばらい」が目立ちます。

楠木正成
「自筆書状」より

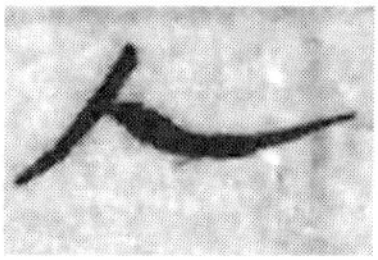

吉田松陰
「自筆庸檄」より

「右ばらい」の長さは深層心理のどういうところと関係するのか、それを考えてみましょう。場所は、字の中で最終画の収筆部分に生じます。おしまいの部分を普通のままに切り上げるか、そのままぐんと引き伸ばすかの違いです。これは縦線下部長突出型の場合と似ていますが、縦線の下部は縦書きで書き進む方向の枠内に含まれるのに対し、右ばらい型は脇にずれていき、長くなるほど本道から遠ざかります。

縦線下部長突出型の場合は、普通の段階でストップするので満足できない、「もっと」という気持ちが強く、自然に伸ばす習慣がついたのでした。その点では右ばらいも同じですが、脇にずれていくのにもかかわらず、という点で違いがあります。脇にずれるかまっすぐ進む、紙面上の小さな差ですが別の負荷が生じているのです。縦線下部長突出型なら、損得の心配はなく、もっともっとという気持ちに乗った行動になるわけですが、右ばらい長突出型では、それによって生じる不利益は無視してそこへ打ち込み、投入する深層心理の姿勢があると見られるのです。

左ばらい長突出型の場合も脇にずれる方向ではありました。「左ばらい」は最終画ではなく次の画に移らなければならないという条件下ですから、伸ばすことは、それ自体を強調したいという無意識の計算も働いているのではないかと考えられるものです。それに対し右ばらい型は、最終画ですからそれでおしまいです。計算姿勢であるより投入姿勢といってよいでしょう。

そうしたことを考え併せると、右ばらい長突出型の心理傾向としては、投入型、のめり込み型、感動・感謝型、やりはじめたらとまらない等のタイプが想定されます。

楠木正成が討死を前にして我が子正行と会った桜井の別れが有名ですが、この席で正成は「七生報国」と言ったそうです。「自分は今度の戦いで死を覚悟しているが、七たび生まれかわって国のために尽す」という意味です。単に死を覚悟というだけでなく、七回生まれかわっても同じようにするというのは、並ののめり込み方ではないでしょう。

快川紹喜
「蘭溪自説」より

戦国時代、武田方に便宜を計ったかどで織田信長に攻められ、寺に籠って焼き殺された快川紹喜和尚の辞世の句に、

「心頭を滅却すれば火もまた涼し」

という句があります。火をかけられた燃えさかる寺の中で平然と信念を通す、右ばらい長突出型にはこんな人もいるようです。

現代では、「右ばらい」が少し長めという人は時々見かけますが、目立って長い人は一割に満たないでしょう。現代人二百人中、私が診断してきた中でもそう多くはありませんでしたが、目立った人の例を次にあげますのでよかったらご参考になさってください。

200人の筆跡中
右ばらい長型　上位7名

34才
デザイナー
女性

37才 会社員
男性 建築関係

43才 経営者
男性

19才 学生
男性

31才 会社員
女性

36才会社員
男性

17才 学生
女性

2 「字中空間」の特徴

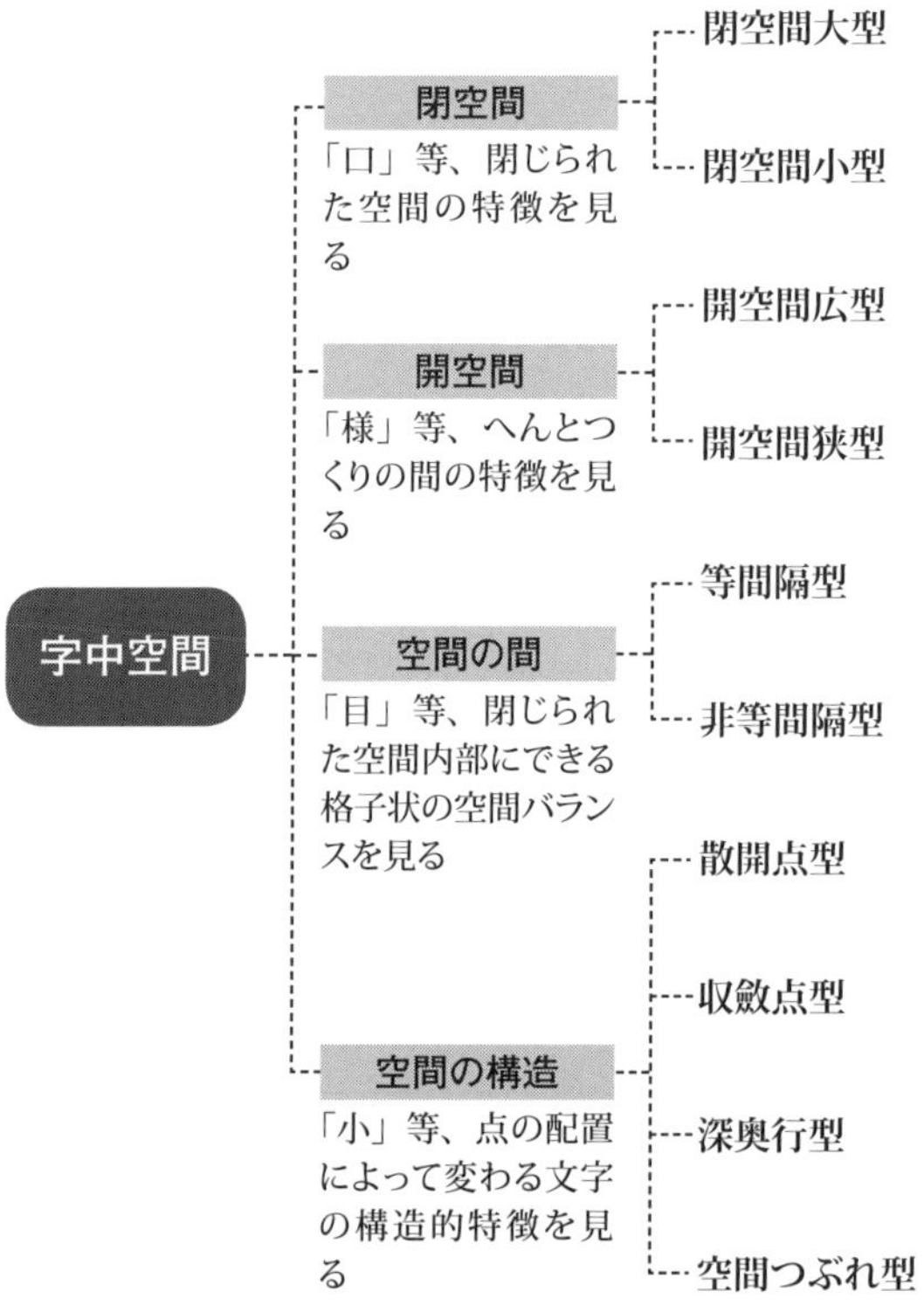
字中空間
閉空間
「口」等、閉じられた空間の特徴を見る
閉空間大型
閉空間小型
開空間
「様」等、へんとつくりの間の特徴を見る
開空間広型
開空間狭型
空間の間
「目」等、閉じられた空間内部にできる格子状の空間バランスを見る
等間隔型
非等間隔型
空間の構造
「小」等、点の配置によって変わる文字の構造的特徴を見る
散開点型
収斂点型
深奥行型
空間つぶれ型

手書き文字は、正方形の活字と違い、一字一字がやや縦長の枠の中に納まり、画数の多い漢字は大きめ、少ない漢字、あるいはひらがなは、やや小さめに書かれるのが普通です。この書かれた字にかかわる空間は、字の外の領域と内部空間にわかれますが、外の領域は「章法」として別の項目で取り上げることとし、ここでは字中空間にしぼって、その空間が形成される意味を分析してみましょう。

字中空間には閉空間と開空間の二種類があります。

「石」の字の「口」の部分の内部や「田」とか「日」などの内部空間、これらは活字だと外部と内部がきちんと閉ざされていますので「閉空間」と称します。これに対し、へんとつくりの間にできる空間を「開空間」と呼びます。例えば、「枝」や「佐」の字のへんとつくりの間は開いていますので「開空間」です。これらのあり方が、書く人によって変化するとともに、その人の日常の行動傾向、性格、人間性等に強く関係しますので以下詳しく研究してみたいと思います。

閉空間大型と閉空間小型

型の違いから「おじいちゃん」と「孫」の違いがよくわかる

閉空間大型

筆跡の特徴

四角く囲まれた中の空間が大きい

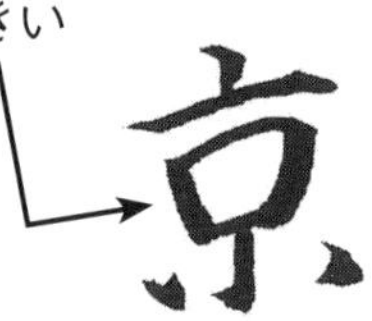

類型

石　吉　魚　戸

性格傾向

- 気持ちが若くエネルギーに富む
- 少し野暮ったい

「閉空間」は大型と小型にわかれます。もちろん「中型空間」もありますが、「中型空間」は普通ということで、顕著に特徴が表れる大型と小型を対比させながら分析してみましょう。おじいちゃんと孫、二人が書いた「京」の字を挙げてみました（100頁参照）。この「口」の部分が「閉空間」で、ここが大型か小型かということです。おじいちゃんがどちらの字か、孫

閉空間小型

筆跡の特徴

四角く囲まれた中の空間が小さくなる

類型

性格傾向

- 老成型
- 洗練度に富むが、体力に不足

がどちらの字なのかと当てるのは、ほとんど全員正しい解答となるでしょう。閉空間大型が年少者、年配者はたいがい小型となります。

閉空間大型ははちきれそう、若々しい、馬力がある等、中高校生の書く字によく見かけられます。

一方、閉空間小型は、知性派で品がよい印象とともに、老成型とか体力不足的な印象と隣り合わせであるようにも見受けられます。毎年正月にもらう年賀状などで、五年十年と親戚の年長者の字を見続けていくと、字そのものが小さくなっていきます。とくに「閉空間」が小型化

イ

ロ

していくのが目につきます。

そのように見てみると、文字の中における「閉空間」は、人間の内部エネルギーがつまっている、生命力も表す場所のようでもあります。そうだとすると、「閉空間」は大きめに書くほうがいいのでしょうか？

前掲「京」のイの場合のように、口の部分が大きいと上の第二画横線との間隔が狭くなって少し苦しくなってきます。自分の生命力をふくらまそうとすると、他のどこかを圧迫し苦しくすることとなる、とも捉えられます。言い換えると、自分勝手でわがままであることにも通じます。すなわち自分が中心で、周囲とか社会とかがよく見えていない。若い人にこの書き方が多いのはそのあたりが影響しているのかもしれません。

それに対し年齢が上になってくるに伴い、社会においての自分の立場がわかりるようになります。それによって、自我の発揮も自己中心的ではなくなり「閉空間」が少しずつ小さくなってくるのかもしれません。

感覚的にも「閉空間」がやたらに大きいのは幼稚で野暮ったく、「閉空間」が小さめだと上品、洗練された感じともなりそうです。

もし高齢になって「閉空間」が小さめになってくるのに気がついたり、自分の体力不足を意識したら、度が過ぎない範囲で「閉空間」を大きめに書くことを心がけてはいかがでしょうか。「気持ちの持ちよう」という言葉がよくつかわれます。「閉空間」を大きめに書けることは、気の若さを保つことにも通じます。そしてその習慣は、深層心理に影響を与えるはずだと思います。

深層心理とは無意識的な行動管理機能でもありますから、若い人がそのエネルギーから「閉空間」を大きく書くように、年齢が上になっても「閉空間」を無意識的に大きめに書けるなら、深層心理の行動管理機能には若さの要素があると考えられるでしょう。「あの人はいつも気持ちが若い」と言ったりするのは、そういうことだと思います。年齢は上でも、少なくとも気持ちの上では若いのです。

開空間広型と開空間狭型

あなたは専門家タイプ？　それとも経営者タイプ？

私は筆跡診断を主たる仕事としていた時期があり、その頃、全国から一万人を超える診断依頼を受けていました。手紙やはがきの宛名書きの診断が中心です。あるとき思いついて、年齢、性別、職業等全く考慮をせず、つまり無差別にある年度の「様」の字のある宛名書二百通を依頼者番号順に取り出して、へんとつくりの間の広さがどのような傾向にあるかを調べてみたこ

開空間広型

筆跡の特徴

へんとつくりの間が広い

類型

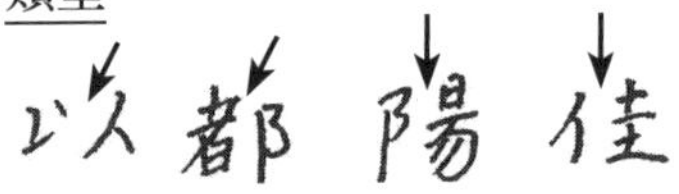

性格傾向

- 心広く、社会性あり
- 包容力に富む
- 外部のものを吸収し取り入れようとする気持ち強し

開空間狭型

筆跡の特徴

類型

性格傾向

- 閉鎖的気質
- 自分の縄張りを守り、外部と打ちとけにくし
- スペシャリスト型

とがあります。その調査をグラフ化したものが105頁に紹介してあるものです。

　へんとつくりの間の空間を〈特別に狭い書き方〉〈やや狭い書き方〉〈標準〉〈やや広い書き方〉〈特別広い書き方〉の五段階に分けてみました。そのうち、標準とやや狭い、あるいはやや広いとの区切りはどのあたりになるのかの目安とするために、標準の中での一番狭い例を〈中の狭〉、中間を〈中の中〉、広い例を〈中の広〉としてみました。二百人からの統計でなく、千人からの統計とすれば〈特別狭〉や〈特別広〉の例はもう少し幅が広がるでしょうが、各段階での平均値はだいたいこんなところと思われます。この統計の後、従業員二百人強のある会社の社員百五十人ほどの筆跡調査をした際も、統計結果の数値はほとんど同じでしたから、皆さんが書かれる様の字の「開空間」をご自身で診断するときの目安になるのではないかと思います。

平均値とか、基準とか標準と言ったところを、知っているか知らないかは現代人には大きく影響力を及ぼすはずと私は考えます。というのは、例えば身長、体重、学力といった数値が集団の中でのその人の位置を示すことでもあり、そうした要素が様々に影響して効率的に動いているのが現代社会だからです。筆跡の、へんとつくりの間の広さの知識がまさか、と思われるかもしれませんが、以下その影響力を説明したいと思います。

「様」の字のへんとつくりの間合いに注目しましょう

例えば、あなたの書かれた「様」の字の開空間の広さが、〈やや狭〉と、〈中の狭〉とどちらともよくわからない、とします。そう感じたらまず特狭のへんとつくりの間隔を見てください。（つまり過ぎて苦しい）と感じる人なら標準型、別にどうとも感じなければ狭型となります。次に特広の広さを見てください。この広さが（開き過ぎておかしい）と感じるかどうか。次いでやや広の段階ならどうか、〈中の広〉の段階ならどうかと調べてみてください。このように、〈特

開空間（へんとつくりの間）の実際例

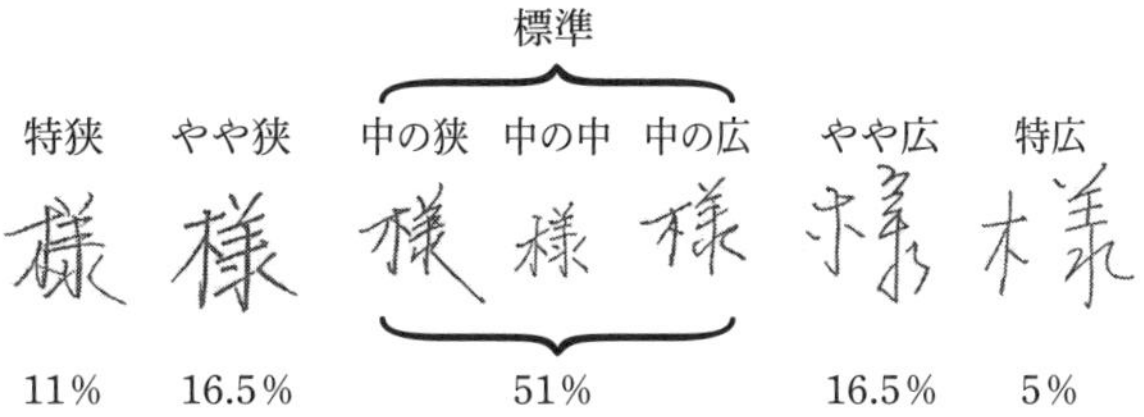

200名（8才〜70才、男80名、女120名）の統計

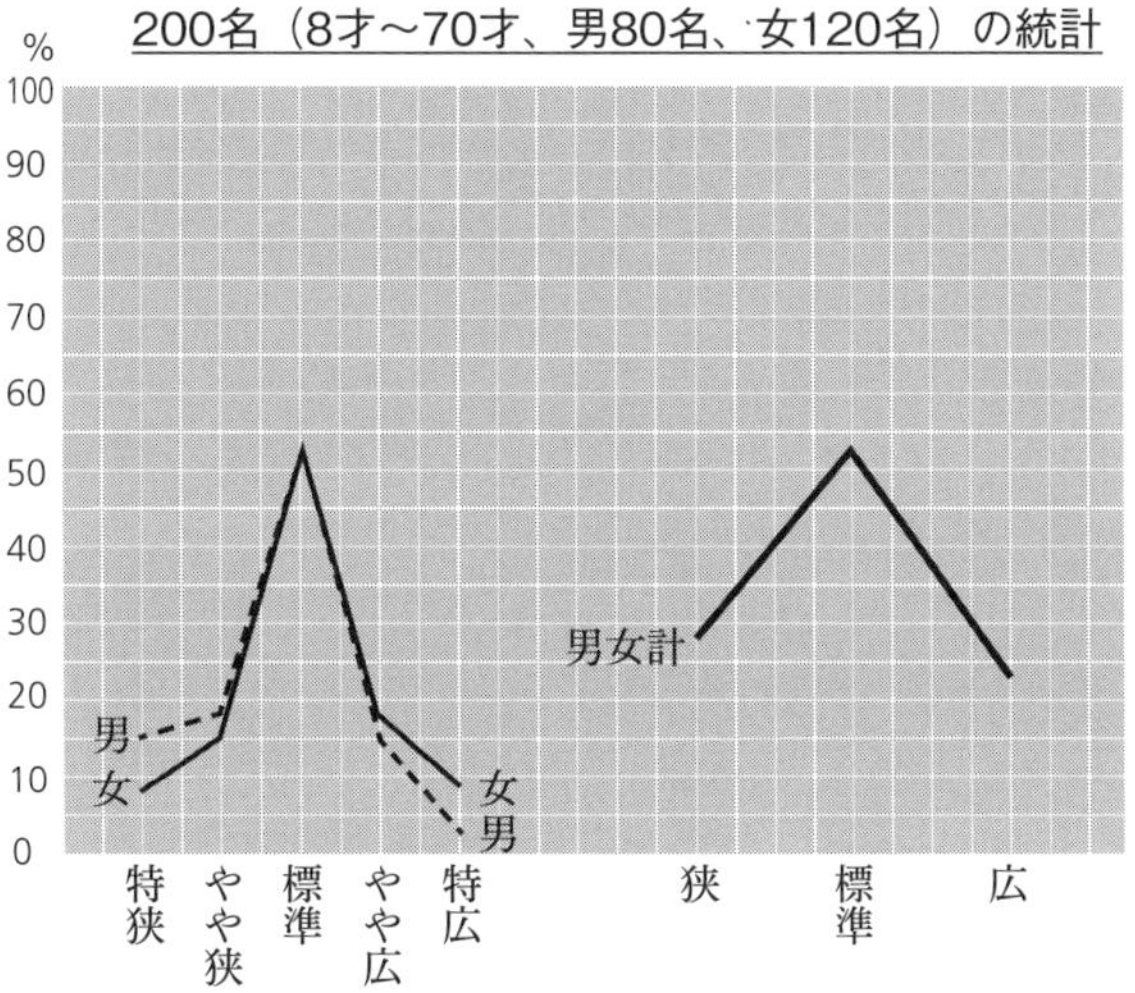

なお、上の特狭〜特広７名の筆跡例は次の人達です。

特　狭	32才	会社員	男	中の広	27才	会社員	男
やや狭	24才	会社員	女	やや広	33才	学生	
中の狭	31才	会社員	女	特　広	34才	主婦	
中の中	38才	会社員	男				

狭〉と〈特広〉の両極から自分の感覚を確かめていって、窮屈だとも広過ぎるとも感じないところがあなたの開空間型なのです。

どこまでが許容範囲かは人によって差があるようです。中には、狭から広まで、時によって両方の字を書き、どの書き方でもなんともないという人もいますし（極わずかですが）、少しの違いにも厳密で許せない人もいます。この点でも実験してみました。平素「開空間広」の字ばかり書く人に、実験のため、「狭」の書き方で三十字ほど書いてみてほしいと依頼したところ、半分もいかないうちに、「どうしても苦しい。もう書けない」と放棄されてしまいました。

反対に、いつも「狭」の書き方の人に「広」の見本を見せて三十字書かせたところ、これもやはり半分ほどで、「私には合わない。締まらなくって、この間にへんなものが入ってくるようで、不安で……」ということでした。

ちょっとつめて書くか、広げて書くか、それだけのことなのですが、人によって心理的抵抗が全く違うのです。

この心理的傾向がごく一般的に見られるとすると、「開空間」をいつも広めに書く人と、狭い字ばかり書く人とでは、物事の対処の仕方、感覚にも違いがあり、字を書く以外の日常行動にも違いを持っているのではないか、という推論も成り立ちます。

実際、「開空間」をいつもきっちり閉じて書く人は、自分の縄ばりに外部からいろいろ入り込んでくるのを嫌い、防御姿勢が強いようです。すし屋の板前さんに、「もうちょっと固めに握ってくれ」などと言うと、「俺っちの握り方が気に入らないんなら帰ってくれ」と怒る人がいます。典型的な開空間狭型ですが、こういう人はしかし、名人肌でもあります。いちいち客の言いなりになっていたら自分の芸が育たないでしょう。技術者、職人気質の人にこの書き方が多いようです。

一方、経営者には開空間広型の人が多く見られます。二十年あまり前、『致知』という雑誌に財界人の筆跡診断を連載していたことがあり、それを『社長の筆相学』という本にまとめたことがありましたが、中に出てくる大部分の人は開空間広型、少なくとも中の広の書き方でした。

開空間広型の人にとっては、へんとつくりの間の空間が余計ものが入ってくるすき間ではなく、どんどん外からのものを受け入れたい〝広がり〟のようです。ここが広いと包容力が大きいとも言えます。

「以」のへんとつくりを拡げて書くこと半年。「先生、お金の回りがよくなってきました」

私がマンツーマンで書道の学校の先生をしていた頃には、学びに来られた方によく「以」の字を書いてもらいました。

楷法の極則とも言われる唐の欧陽詢の「九成宮醴泉銘」という法帖を手本にしたのですが、多くの人は「以」の字の第三画の点がつい中央に寄りがちになる人が多かった記憶があります。活字の「以」に近くなるのです。

以

活字

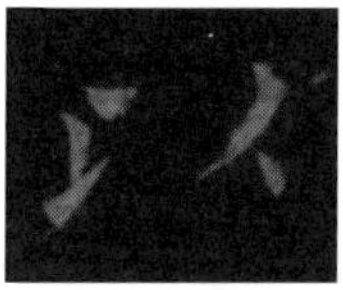

欧陽詢

欧陽詢
「九成宮醴泉銘」
より一部
三井記念美術館
所蔵

「この以の字は部首が人（にんべん）の字で、第一画〜第三画までがへん、人はつくりです。そしてへんとつくりの間は気宇（心の広さ）と称して広く書くのがよいとされています。中国の三千年前からの言い伝えでは、ここを広く書いていると自然に心が広くなり、心が広くなると人が集まる。人が集まるとお金も集まる。狭く書いていると貧乏になるということのようですね」

そのように私からはお伝えしていました。貧乏になるとは言い過ぎで、技術者スペシャリスト系は開空間狭型のほうが良い場合があるのですが、一般的には心が広いほうがわかりやすく、また貧乏は避けたいという気持ちもあってか、皆さんは熱心にこの字を気宇広く書く勉強をしていたと思います。

ただ、このように筆跡を変える勉強の結果が出るのにはまず六ヶ月はかかります。「以」の字は、平素も割によく書く字で、中国古典の書の手本にもよく出てきますが、他の字が続いた途中でふとこの字が出ると、何度も「開空間」を広くと練習を続けてきたのにもかかわらず、つい以前の習慣通りの書き方をしてしまい、気がつきません。身についた習慣というものは、なかなか抜け切らないものです。

しかし半年も経つと、どうやら無意識的に書いても「開空間」を広く書けるように変化してきます。たまにふらっと前の習慣が出てへんとつくりの間を狭くした字を書いてしまっても、それに気がつくようになっているので書き直すようになります。「自分の書いた字がこんなに苦しいままでは許せない」と言った人もいました。

「先生の言われたことは本当でした。私、この頃お金まわりがよくなってきました」

と言ったのは四十歳前後の喫茶店のママさんでした。書道の指導を受け、やはり半年も経ったころです。

「ここのところ常連のお客さんが増えてきたんです」

へんとつくりの間を広く書けるようになり出すと、なんとなくお客さんとの接し方も変わり、受けがよくなってきたとの話でした。

これはあくまで一例です。すべてすぐにそのような効果が出るとは限らないでしょう。しかし、へんとつくりの間をいつも密着させて書いていた人が、無意識のレベルで「開空間」を広く書けるようになったとすると、それが接客の仕方にも影響を与えて、行動が変わってくることは十分あると考えられます。

何らかの習慣の変化は、その習慣を支配していた深層心理の行動管理機能を変化させているはずなのです。

等間隔型と非等間隔型

等間隔は文明が好む形のようです。ということは……

漢字はひらがな、カタカナ、ローマ字に比べて画数の多い字が多く、一字の中に何本もの横線が並ぶ字が出てきます。その横線が等間隔に書かれているタイプを「等間隔型」、横線がばらついて非等間隔になっているタイプを「非等間隔型」と分類しています。

以前、文部省の出している学習指導要領に目を通したことがあり、その中で、書字指導の項

非等間隔型

筆跡の特徴

非等間隔の書き方が多い

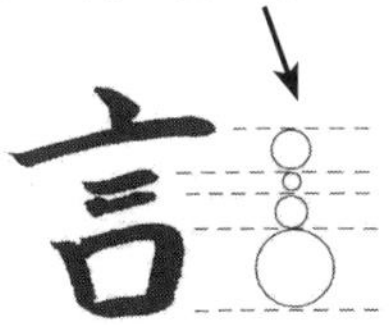

類型

性格傾向

- 気分で動く傾向がある
- 勘がよいところがある
- レベルが低い場合もある

等間隔型

筆跡の特徴

等間隔平行度が高い

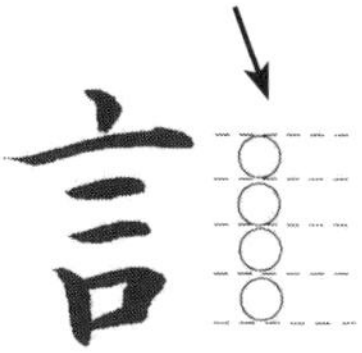

類型

性格傾向

- 器用で論理的性格
- ヒステリックになりにくい

で学年別に、いろいろの指導事項が書かれていましたが、気になったことは、すべての学年に「等間隔」に書く図例が出ていることでした。はねる、はらう等図示事項は多くありましたが、複数の学年にまたがって出ている事項は少なく、全学年にわたって出ていたのは、等間隔に書くということだけのようでした。すなわち、学校教育の書字指導では、等間隔に書く訓練を最も重視しているようなのです。

それはなぜなのか?

等間隔平行にそろっているほうがきれいなのはあたり前でしょうが、実は「等間隔」の意味するところには奥深いものがあります。

皆さんも、自分が今いる周辺をちょっと見まわしてみましょう。例えば窓ガラスに入った網状の針金、書類入れの引き出し、カレンダーの数字、窓の外に見えるビルの構造等、等間隔の組み合わせです。このようにわれわれは日常「等間隔」の中に取り囲まれているのです。

これがアフリカのジャングルの中に入ったとすると、周囲を見まわして、等間隔のものはどのくらいあるでしょうか。またこの東京でも、仮にタイムスリップして三千年前にさかのぼったとして、同じ地点から見渡す周囲に果たして等間隔のものがあるでしょうか。

つまり「等間隔」とは文明の原則であり性格なのです。機械文明では商品はほとんど「等間隔」に生産されそうでないものは、商品としては不良品とか出来損ないとして扱われることが多いのではないかと思いますが、同様の観点は筆跡に対してもいえることではないでしょうか。手書きの文字の中の線間空間も、「等間隔」であるほうが文明に即したものであり、「非等間隔」なものは書き損ないとして受け取られることもあるということです。

「等間隔」はまた、平等の概念や等価の集積になるコンピュータ理論のともつながりを持つ概念です。さらに言えば、「等間隔」の中には部分的に苦しいところがないわけですから、理論や話の中にどこにも苦がない、考え方の構成も理路整然として無理がないということに通じるかもしれません。

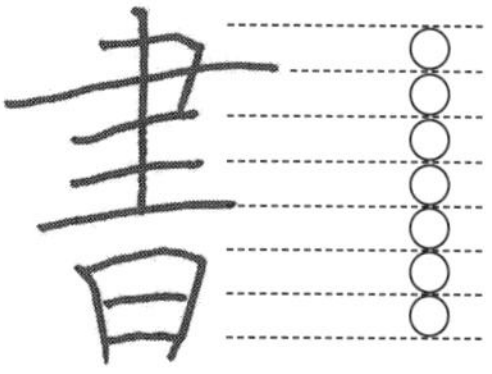

線間空間がほぼ
そろっている

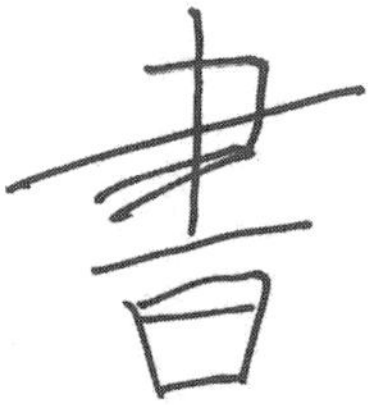

空間につぶれあり
平行度も悪い

優等生型を育てるのが等間隔型の特徴なら非等間隔型は天才型といえるかもしれません

日本は江戸時代に二百年余にわたって鎖国の状態であり、そのような鎖国的社会では、国民の能力水準が低下しそうなものですが、明治維新の後、西洋文明に追いつくスピードは目ざましく、決して質的に低下してはいなかったのでした。その原因には、例えば寺子屋教育で読み書きそろばんを教える等、漢字の書写訓練も寄与していたことと思います。

子供の頃から複雑な漢字を書く訓練は、そして文科省の指導要領の等間隔重視が示すことはおそらく漢字の書写指導の伝統といってよく、これにより日本人は素早く等間隔にそろえる能力が磨かれ、手先が器用で論理的能力にも優れる結果となったのでしょう。日本が近代国家入りして以後、精密工業に力を発揮し、先端文明面でも一流国となり得たのには子供の頃からの等間隔訓練が徹底していたからといえるかもしれません。

このように考えると、等間隔型が非等間隔型より優れているように見えます。

ただそうとはっきりと言えるほど人間は単純ではありません。概して等間隔度の強い人に優秀な人が多いのは事実ですが、非等間隔型の中にも優れた人は沢山います。とくに天才型と言える人は非等間隔型かもしれないのです。

物事を常にきちんとそろえ、どこにも苦しいところがないように処理する。有能で優等生型です。一方、無理を克服して平凡以上の業績を挙げる――あるいは非等間隔型の人にできそうなことかもしれません。

等間隔型は整っていて美しいが、見方により単調で機械的と言えるかもしれません。活花で天地人の組み合わせは「等間隔」に並べるものではありません。芸術には「非等間隔」の感覚を活かすことも重要な要素のようです。

散開点型と収斂点型

「目立ちたがり派」か「控え目派」か。個性は「点」の打ち方に表れる

散開点型と収斂点型の類型例をご覧ください。散開点型は点の位置が本体から大きく外側にずれようとしている型、収斂点型は対照的に本体に密着しようとしている型を言います。

「魚」の字の場合のような「灬」（連火）の点の遠く離れているのは、横線左方長突出型の起筆を遠くした方へ打ち込むのとほとんど同じで、才気のほとばしりの要素に近いものとしてよいでしょう。「思」や「代」の離れ点は、運筆上、右方長突出型の収筆の意味もありますが、

収斂点型

筆跡の特徴

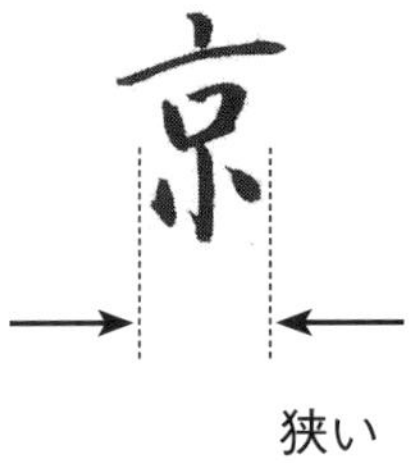

類型

性格傾向

- 気取り屋だが内向型
- 抑えをきかせるタイプ

散開点型

筆跡の特徴

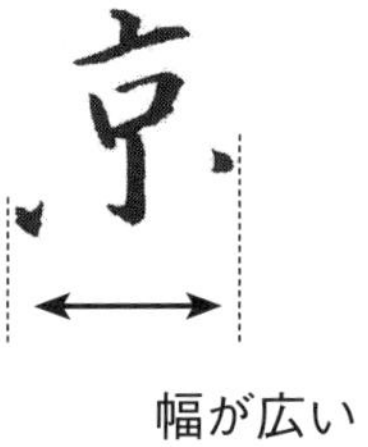

類型

性格傾向

- 気取り屋で外向性に富む
- 派手なタイプ

前画からやはりはじけるように飛んでいるので才気型であることは確かと思われます。いずれにしても本体から遠く離れた点は目立ちますので、派手系、目立ちたがり系というのも付属します。

収斂点型は散開点型と全く反対の心理要素に基づきます。無難、控え目、自分の枠を守って、飛んでいる意見などはまず出せませんし、敬遠します。内向傾向で、中に気取り屋の人もいるようです。

深奥行型

人も文字も〝奥行感〟はおすすめです

深奥行型とは奥行の深い部分がある字ということです。

活字には一般的に奥行の深い字がほとんどありません。画数が多く点画が複雑な構造をしている字もありますが、外から字の内部に入っても「閉空間」があってそれ以上は入れなかったり、進むにつれて外へ抜けていったりして、奥行感がありません。

それに対し手書きの字は次頁の「目」のような簡単な字でも、上に開いているところがあり、

筆跡の特徴

奥行がいろいろあり、かつ深い

類型

性格傾向

- 人間性もなんとなく奥行を感じさせる人柄
- 大物の可能性あり

内部も線と線がどれも密着しあっていないので流れがあり、そして最終画の行き止まりが閉じた書き方になっているとすると奥行感が出てきます。字を書く時、なるべく自然に奥行感のあ

る字を書けるようになることをおすすめします。

人間にも「奥行のある人」という言葉があり、「底の深い人」「底の浅い人」「浅薄な人」という言葉もあります。どちらかといえば深いほうが好まれるでしょう。

この奥行のある人柄というものは意識して出せるものではなく、じっとしていても、あるいは自然の行動のうちにそれが感じられるものです。それは深層心理、あるいは無意識の行動管理機能が、奥行深い状態を作り出すのに馴染んでいるからでしょう。

空間つぶれ型

「つぶれ」は心の乱れ。複数回出てくるようなら警戒信号

「閉空間」の大小、「開空間」の広狭等について説明してきましたが、小の度合い、狭の度合いが進行しますと「空間のつぶれ」の段階となります。

平素書く字に「空間のつぶれ」がない人がふと書いた字に、一ヶ所だけでなく複数個のつぶれが出るようでしたら警戒を要します。心身のどこかに苦しいところが生じている疑いがあります。

誰しもわざと空間をつぶして書こうと心がけて書く人はいないでしょう。無意識的に書いて

筆跡の特徴

少しこみ入った空間が小さくつぶれやすい

類型

性格傾向

- 心身のどこかに苦しい部分を持っている可能性あり
- 芸術家肌の場合もある

いても、書く字の中につぶれが生じないよううまくやってくれているものです。ただ人間の行動ですから、どうしても狂いが出ることはあります。一回だけならどうということはないのですが、複数回出てくるようだと、深層心理の行動管理機能に障害が生じた可能性を考えるべきでしょう。

酔っぱらい運転がきびしく規制されていますが、これが正当である傍証は筆跡の観点からも出すことができます。数多くの事例を研究している私の目には、まだ酔ってないという人の書いた字でも、平素の字との違いがはっきりと見て取れます。そのことは、平素の書き方と違う

空間つぶれ型の例

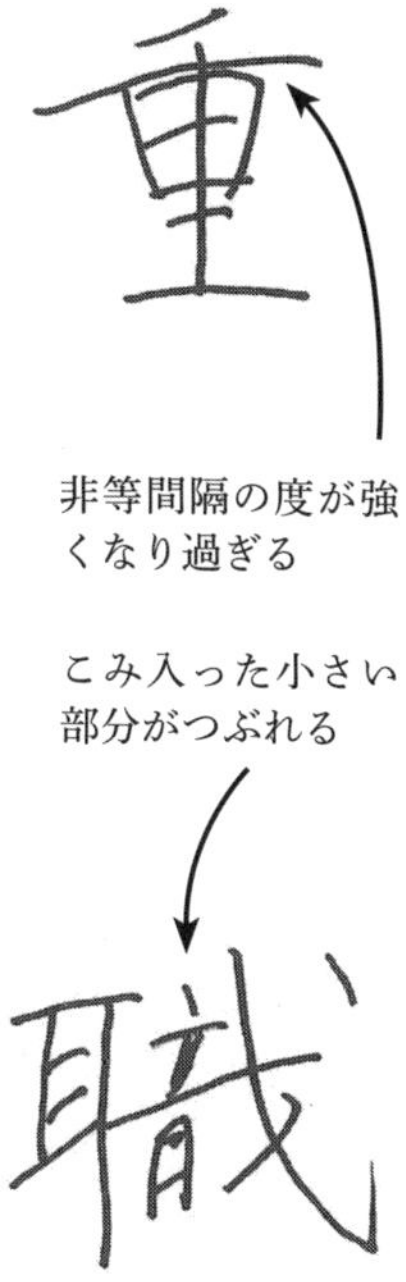

特徴が再三筆跡に出た場合には原因の追究を心がけるべきだということを示唆します。

字は人の内面を写す鏡だといってもよいかもしれません。内面に苦しいところがあれば、深層心理はそれをカバーして繕って、顔に出す等表に出すことは表面的にはしないかもしれませんが、その時に書いた文字には心の内が現れてしまうようです。私は以前筆跡診断の仕事が多かった頃、「空間のつぶれ」を見て、健康診断をすすめた結果、あとから礼状をもらったことがよくありました（必ずしも健康の異常を表すものではありません。例えば芸術家の多くの作品は深刻な心身の悩み、苦しみの上に成り立っているのです）。

われわれが日常字を書く中で、空間はなるべくつぶれがないよう気をつけるべきです。つぶれを放置し許容するのは、自分または自分周辺のどこかに苦しい事態が生じても、それが平気、あるいは麻痺した神経感覚になりかねないからです。しかし、芸術には悲劇がつきもののように、人間おめでたいことばかりを求めるのも疑問で、苦しいことを恐れずに立ち向かう必要もあるでしょう。ただずるずるつぶれを許容していくよりは、内部空間の明るい字を書いていくに越したことはありません。

筆跡が心の鏡であることを端的に教えてくれる例の一つとして、ノーベル賞作家、川端康成の書と、戦後のデカダン派作家坂口安吾の書を紹介しましょう。

書を見た感じとして、どちらが明るく、どちらが暗いでしょうか？　まず十人中十人、川端康成の書が暗く、坂口安吾の書が明るいとするのではないでしょうか。

川端と坂口とのありし日の生活を見ると川端は気品高く、とぎすまされたような作品を書き、ノーベル賞を取り、日本の小説家の中で第一人者の地位を長く続けました。

一方の坂口は、戦後の混乱下にあってカストリに酔いしれ、野獣派といわれる小説家に属し、体を壊し早死にしました。文学者の中で、川端が貴族なら、坂口は悲惨な庶民の生活だったといえるかもしれません。

しかし、書は人間の深層心理を表します。生活状態が周囲の目からは川端が明るく坂口が暗

川端康成　資料提供：川端家

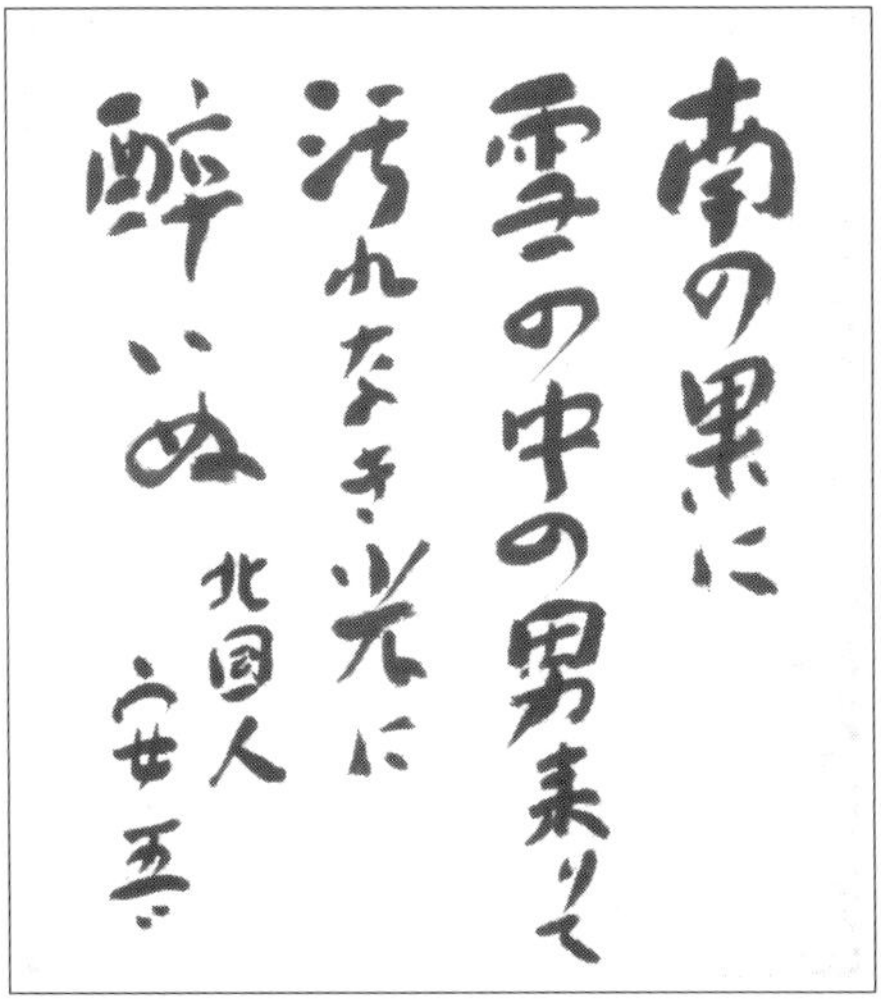

坂口安吾　資料提供：坂口家

かったかもしれませんが、心の奥の世界では、むしろ坂口が明るく、川端が暗かったようにも思えます。

明るい暗いは外から見える印象で、明るさは楽しさや開放性を表わし、暗さは苦しさ、閉鎖性を意味します。心の中が楽しく開放的である時、書く字の中の空間も自然に広がり明るくなります。反対に心の底に悩み苦しみがたまっていると、そのしこりは書く字にも反映され、空間がつぶれ、黒々と暗い苦しい印象となります。

実際、川端は文学者として最高の栄誉を博しましたが、自殺という最後をとげました。坂口は生活こそ荒廃していましたが、おそらく笑顔のうちに天へ昇ったでしょう。坂口、川端の書は明るさ、暗さの両極のような書です。

3 「接筆部《せっぴつぶ》」の特徴

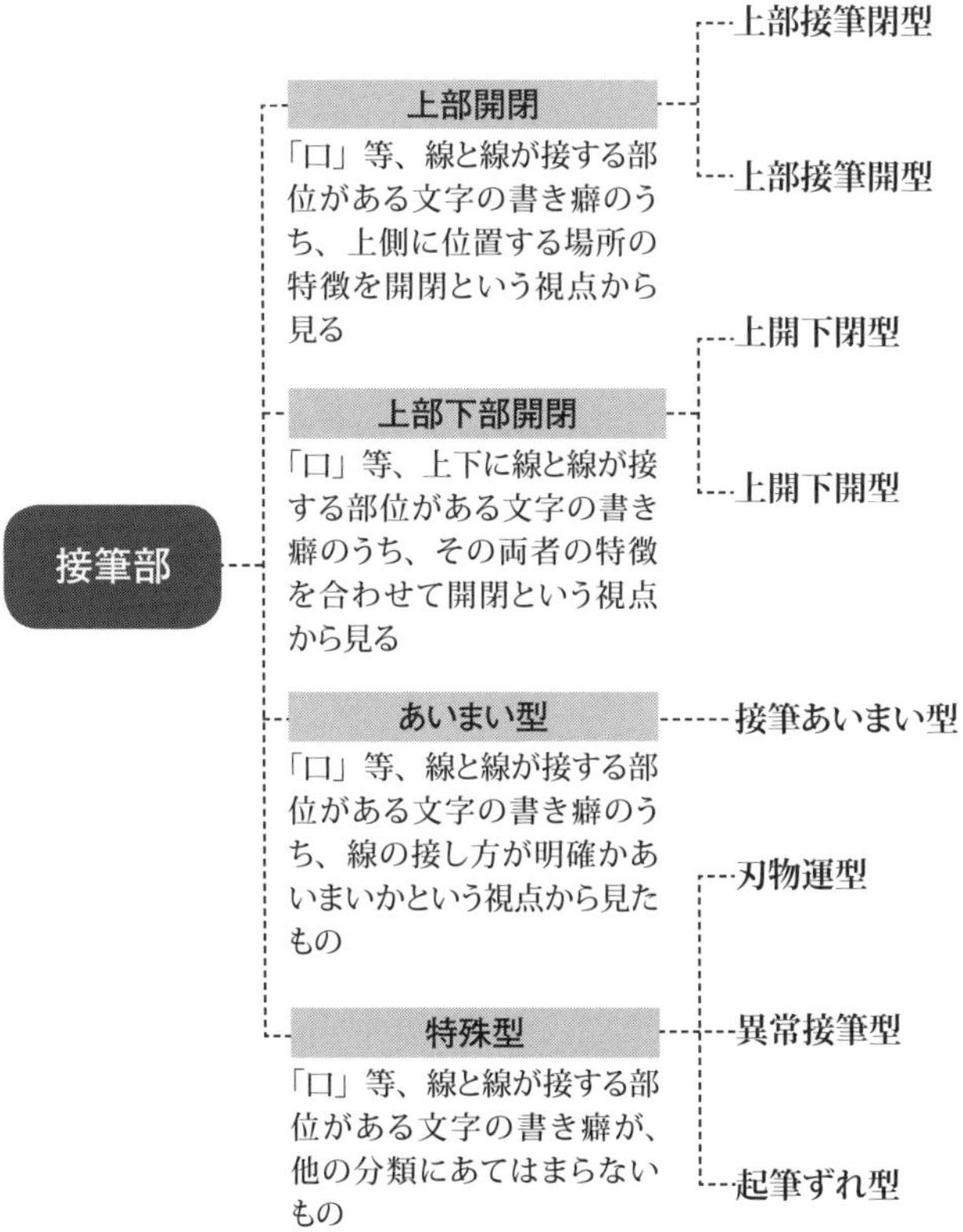

接筆部の見方

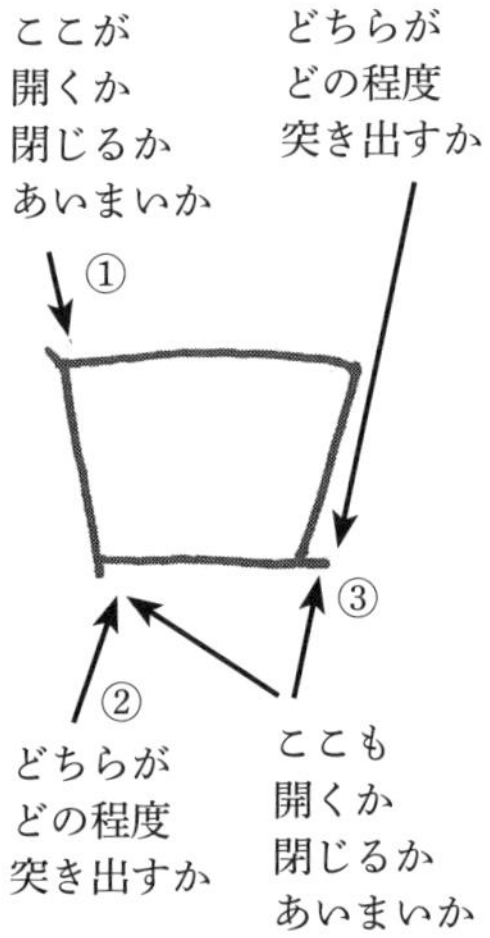

第一章で、「口」の字の左上部がきちんと接しているのか離れているのかについて、接筆（※接筆部と同義とします。以下同）として説明しましたが、実は接筆とは、いろいろの場所でいろいろのあり方があるのです。「口」の字についても、左上部だけでなく、くっついたり離れたりするところは、左下部、右下部にもあります。さらに同じくっついているのにしても、縦線が突き出しているのか、横線が突き出しているのか、あるいは交差しているのか等の違いもあります。

以下その違いがどのようなものであるか、なぜそのような違いが生じるのかを、深層心理との関連を通じ、詳しく説明していきたいと思います。

上部接筆閉型と上部接筆開型

きちんと上部左端をくっつけて書く閉型の多数派は小中高生。
社会人の多数派は……

第一章では、とくに上部という言葉はつけず、単に「接筆閉」か「接筆開」かで説明しましたが、詳しく分析していこうとすると、先の図に示したように、「口」の一字の中に、左上部①、左下部②、右下部③の三ヶ所の接筆部があることに気がつきます。そして人により、それぞれ

上部接筆閉型

筆跡の特徴

きちんとくっついている

類型

性格傾向

- まじめ、潔癖
- 物事を決めてかかり融通がききにくい

上部接筆開型

筆跡の特徴

ここが開いている

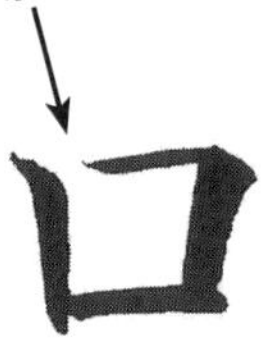

類型

性格傾向

- 融通がきく
- 思いやりがある
- 妥協性に富む

の場所のどこをくっつけるか離して書くのかに違いがあることも調査の結果わかってきました。

　こうした接筆部の違いはなぜ生じてくるのでしょうか?

　第一章で、われわれが「口」の字の書き方を最初に教わるのは小学校一年生の時で、その際は先生から接筆部をきちんとくっつけて書くよう教わったはずだということを述べました。

　子供の頃は、教わったことはだいたいそのまま覚え込むものです。とくに学校の先生から言われたことは、みな正しいこととして受け取ります。それで小学校から、中学校、高校へと進んでも、「接筆閉」の書き方の人が圧倒的に多いのです。

それが社会人となり、年齢が増すにつれ接筆開型が増えます。正しい書き方は開か閉かと聞かれると、誰しも閉のほうを正しいとしますが、日常書く字では開のほうが多くなります。字として通用すればどちらでもよい。どちらでもよいが、自分の好みでは開だということになってきます。

四十歳、五十歳になっても書く字は常に「接筆閉」の人もいます。きちんと閉じない書き方は、だらしがない、締まらない感じといいます。この人たちの性格は、まじめ、潔癖、几帳面と言えるでしょう。ただ物事を決めてかかり、融通が利きにくい面を持っています。

そして「接筆開」の書き方の人は、「接筆閉」が正しいとはしても、そんなことにこだわらなくてもいい。きちんとくっつけようとするとむしろ苦しい気がする、少し間が開いているほうがゆとりがある、やさしさとか柔らかさの感覚があるとも言います。

「接筆閉」の人は良いこと悪いこと、好き嫌い等についてもはっきりしている傾向があります。ダメなものはダメと厳しい人は、まず接筆閉型です。

「接筆開」の人はあまり決めつけるのを好みません。そうは言っても……として許容性に富みます。思いやりとか妥協性に富むのは接筆開型の人です。

上開下閉型と上開下開型

「口」を容器と見立てれば、金運、人との出会い運などさまざま見えてくる

ここに掲げた二つの型は、上部の接筆部はともに開いているものの、下部の接筆部が一方は開き、一方は閉じているものです。その違いが行動傾向にどのように反映されるのか、興味深いものがあります。

上開下閉型

筆跡の特徴

上開き、下閉じる

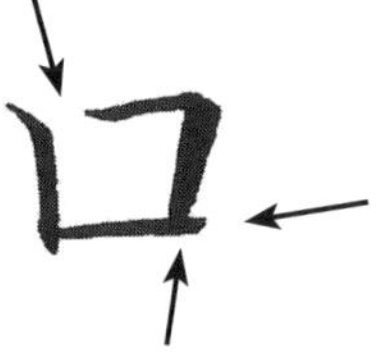

類型

性格傾向

- 締り屋型
- けじめがきちんとし、お金が貯まる傾向

上開下開型

筆跡の特徴

上が開き、下も開く

類型

性格傾向

- さばけて付き合いよいが、ややルーズの傾向
- お金がよく入っても、よく出ていく

「口」の字は四角の容器とも受け取ることができます。「上部接筆」が開いていると外から何かが入ってくる入口になる。閉じていると何も入らない。下部の接筆の場合は、中のものが下に抜けていく。大きく開いているとざーっと出ていくし、小さな開きなら少しずつ洩れていくという印象になります。

この「上部接筆」と「下部接筆」の関係は金運の目安ともなります。金運というと、占いのようですが、そのような意味ではなく、お金の出入りを例に取るというぐらいの意味でご理解ください。

容器は上が開いて下が閉じていると、何かが入ってきて溜まると感じるのは人間の自然の心理構造です。そして上が閉まっていれば何も入らないし、底が抜けていれば何もたまらないというのも同様です。この心理構造は「口」の字の上下の接筆にも投影され、その接筆の書き方がまた日常行動にも深層心理の機構を通じてはね返ってくるのです。

「上部接筆閉」は、所定の決まったあり方だけを受け入れるスタイルに多くみられます。これに対し「上部接筆開」は柔軟性があり、幅広く受け入れ可能。お金にしても入ってきやすいわけです。お金と限らず、知識とか技能とか、友人とか、ものの考え方とか。あらゆるものに対しての窓口があるということです。接筆あいまい型の開きなら警戒してわずかずつ入れるということでしょうか。

つい財布のひもが緩みがちな人は、「下部接筆が開く」傾向があるのかもしれません

「下部接筆開」の人は、出ていくことに快感を感じることもあるようです。例えばデパートへ行っていろいろ買い物をします。友人と飲み食いして散財します。すかっとしていい気分に

なります。財布が空になってあとから後悔したりするのですが、欲しいものを見ると、つい財布のひもが緩んでしまいがちです。

ふだん「下部接筆開」の人が閉で書こうとすると、なんとなく疲れるような感覚が出て開で書くほうが楽なのだそうですが、疲れるというのは肉体的疲労感ではなく、お金の使い方を締めて使っている時に感じるのと近い感覚らしいのです。「接筆開」か「接筆閉」であるかは、財布のひもの締り具合がどのようであるか、ということに通じるところが見えてきます。

「つめが甘い」と人に言われたことはありませんか？

同じ「下部接筆」でも右側の接筆、すなわち第二画縦線部の収筆部と第三画の収筆部をくっつけるかどうかは、物事のけじめの問題になります。なぜならそこが最終収筆部だからです。行書の場合は第二画からの連綿（切れ目なく続くこと）になることが多く、右下がはっきり「接筆開」となるケースがそう多くはないので、さらに統計を取り続けていきたいところですが、推論としては次のことが考えられます。

収筆部の筆跡というのは、字を書く上での終わりの部分ということもありますが、それだけではなく、他の日常行動での一つ一つのけじめの部分、終わりの締め方、仕上げ方の部分のあり方に強く影響しているのではないか、という推論です。

終わりの部分が甘い、けじめがついていない、ということは責任感も弱い可能性があります。仕上げがいいかげんとか、つめが甘いといった傾向ともかかわってきそうな筆跡特徴だと思います。

人により、年齢により、職業により、筆跡ののぞましいあり方は多様ですが……

筆跡は人により、その人の年齢により、職業により、のぞましいあり方は実に多様です。このあり方はダメだというのは基本的にはないと考えます。ただ「下部接筆」、とくに「右下部接筆開」はたいがいの人の場合、きちんとくっつけて書く習慣にしておくのがいいと私は思います。

閉にする、つまりくっつけて書く習慣を身につけると、欲しいと思う気持ちに抵抗感が出るようになってくるからです。

「下部接筆」を閉にするか開にするかが直接お金にかかわるわけではありませんが、下部接筆開型の人は、閉めて書こうとすると心理的負担になるというのは前述の通りです。
「結構金は入るのだが、サッパリ貯まらない」とこぼす人の筆跡を見てみると、「上部接筆」は開で、「下部接筆」も開である、というのが偶然とは思えないほど同様の例をいくつも見てきました。

「じゃあ最後を閉じて書くようにしよう」

と練習をしてみるとどうでしょう。「口」の最後の一画を閉じることそれ自体はなんらむずかしいことはありません。だれでもできることといえるでしょう。
けれどもいくつも字を続けて書いているうちに、開いた書き方に戻ってしまうことが多いと思います。慣れない字を書くことは思いのほか窮屈に感じるもので、慣れた字に戻ると解放されたような気分になるものです。

しかし、なんとかしなければならないという意志の強さがあれば、自分で「接筆閉」の書き方に戻って……と繰り返しているうちに、閉じた書き方をすることが増えていき、同時に欲しいと思う気持ちへの抵抗も増してくるでしょう。そうしてお金は徐々に溜まっていく方向になっていくわけです。

ただ、沢山入ることを願い、「上部接筆」はすべて大きく開、「下部接筆」はすべてきちんと閉じて、としてみます。初めのうちは少し貯まるようになるかもしれませんが、あまり律儀にやりすぎると、そのうちケチの体質が身にしみついてしまい、人が遠ざかるようになるかもしれません。

「金は天下の回りもの」です。なにごとも〝ほどほどに〟がよさそうです。

タモリさんの筆跡を診断したことがあります

以前テレビの「笑っていいとも」という番組に出演したことがありました。そこでタモリさんの筆跡を見たのですが、次のような字を書いていましたので早速次のように批評したところ、大笑い。拍手となりました。

「あなたは稼ぎがよくどんどん入りますが、気前よく出てもいきますね。しかし、ケチと思っている人もいるんじゃないですか？　半分はガッポリ貯めているようです」

タモリさんの字

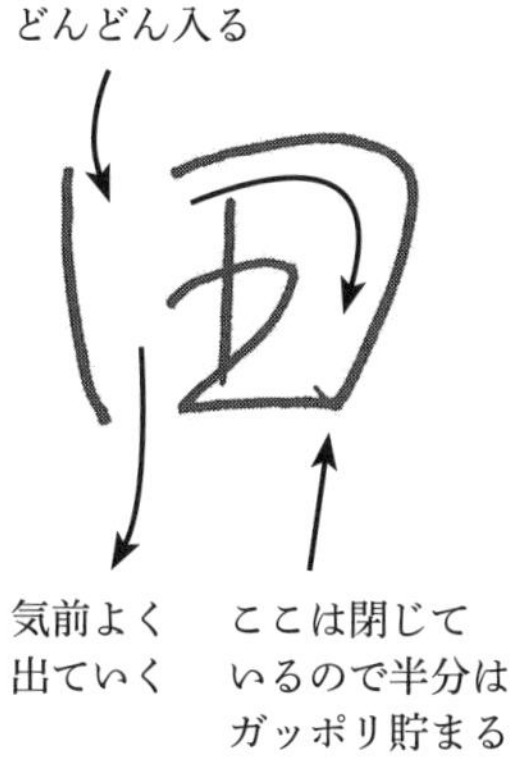

線の突き出し方はさほど気にせずともよさそうです

接筆部が閉じるか開くかの他に、二本の線のどちらかが突き出すか、突き出さないのかというのがあります。この突き出すか突き出さないか、突き出すとすればどの線がどの程度長く突き出すかは、書道では重要視されています。美的センス上違いがあるからです。しかし、この書き方の違いが性格に及ぼす影響はそれほどありません。

接筆部線の突出のいろいろ

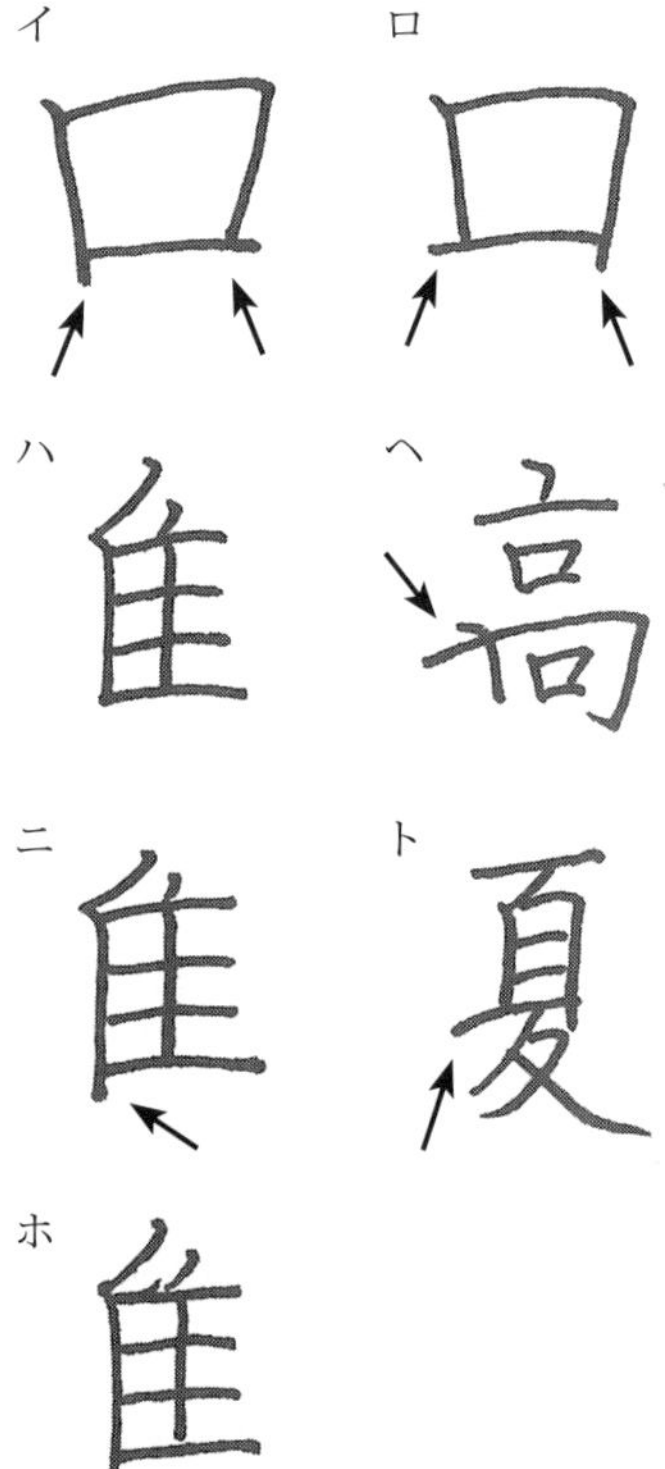

その理由として考えられることは、書道には普通の書き方とは異なる書道独特の書写手本というものがあるからです。右に挙げた例のうち、イ（口）とハ（隹）は小学校で習う書き方に近いもので、接筆部を開けない、突き出し方も小さな字形をしています。これに対して、ニ、ホ、ヘ、トは通常は突き出さない線を下部や横に突き出す書き方をしています。これは書写手本に見られる書き方なのです。ロ（「口」）の書き方も、書道の高段者が例えば「路」という漢字の「口」の部分を書くときによく見られるものですから、文字を書いた人がどの程度書を嗜んでいるかどうかということも、筆跡診断する際には考慮する必要があるだろうと思います。筆跡の癖は心理や性格だけに由来するものではない、ということでもあります。

接筆あいまい型

上品な美徳と優柔不断の紙一重

筆跡の特徴

くっついているとも、離れているともとれるような書き方

類型

性格傾向

- 悩んだり、気にしたりしやすい性格
- 優柔不断傾向

接筆あいまい型とは「接筆閉」と取るべきか「接筆開」と取るべきか、ちょっと困るというような書き方です。つまり形の上からは、接筆部分がきちんと閉じてはいないのだが、「接筆開」とするにはちょっと狭過ぎる、というような書き方です。そしてこの書き方がたまたま一字そうなったというのではなく、あちらこちらに見られ、どうやらそれがその人の書き癖と思

われる書き方のことです。

なぜこのような書き方になるのか、これは推定ですが、このあいまい型の書き方の人は、きちんと閉じるのは厳しすぎると感じるのではないでしょうか。それではもっと開けて書くのはというと、あまり開くのはだらしなく、ルーズな感じになる——その両方のはざまにあって、ついどちらとも取りかねる位置にペン先を下ろしてしまいがちのようなのです。これはそのつど意識してそうしているわけではありませんから、深層心理の行動管理機能の体制がそうなっていると思わざるを得ません。

そうすると、このような深層心理の体制を持っている人は、他の行動においても、あれこれ考えて決めかね、悩みがちの傾向にありそうに思われます。優柔不断と言われるようなケースが生じやすいかもしれません。神経はデリケートなほうでしょう。見方によっては上品な美徳と受け取られることもあるでしょう。

接筆あいまい型の反対は、いつも「接筆開」か「接筆閉」かの一方だけでなく、両者の併用型で、しかも閉の時にはきちんと閉じ、開の時には度胸よく広めに開く書き方です。この型の人はダメなものはダメとはっきりしていても、話がよくわかる一面もあるということでしょう。太っ腹で決断力に富むとも言えます。

刃物運型

型名通り「切れ味にうるさい」仕事人になぜか多い

筆跡の特徴

他の線を切るように、交差する書き方

類型

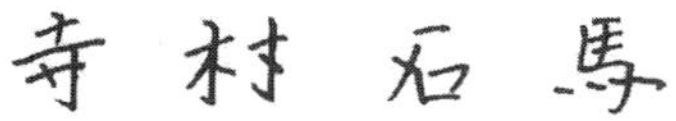

性格傾向

- 行動の切れ味がよい
- こまかい違いにうるさい
- 刃物の使い方がうまい

例に挙げたの矢印部分のような書き方を見られることがあるでしょうか。以前二百人の調査の中では男女とも、普通の書き方の人に比し二割弱の人数でした。このような書き方の名称を「刃物運」というようなおっかない呼び方にしたのには理由があります。

三十年も前、私が筆跡の特徴と性格やら職業の関係に気付いてあちこち調査しまわっていた

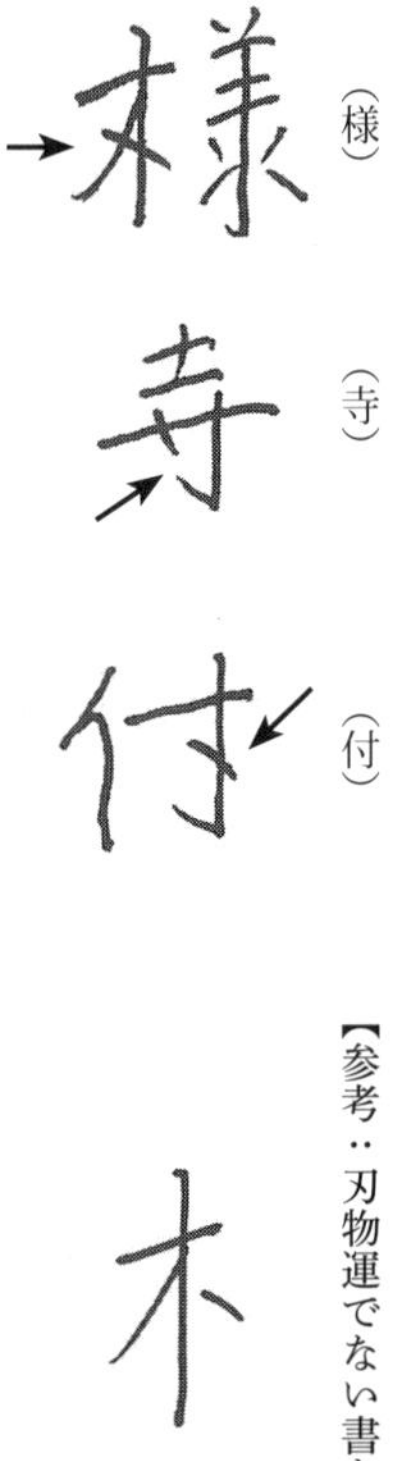

【参考：刃物運でない書き方】

頃、すし屋等飲食店で話がはずむと必ず板前さんに「様」の字を書いてもらっていました。その結果、少なくとも私が直接書いてもらった板前さんは全員刃物運型ばかりでした。

同じ木へんでも【参考】として入れた、刃物運でない書き方もあります。その板前さんに「こういう書き方をどう思うか？」と聞いてみたところ、

「締まらなくって書いちゃいられねえよ」

ということでした。

試しに普通の書き方の人に刃物運型で何字か書いてもらったところ、「なんか刃物で切るような怖い感じがして書けない」と言って途中で止めてしまいました。

「刃物運」という呼称にしたのはそれからです。ズバリ内容を表わしていると思ったからです。

実際板前さん達の包丁の使い方は実に美事です。そしてスパッと切った時の感触が常に自分の

手に戻ってきているのでしょう。刃物運の木へんを書いても通じるところがあり、刃物運でない書き方をしたら包丁が空を切ったような感覚を持つのかもしれません。

美容室の従業員何十人かの集まりで講演をやったことがあります。その際、めいめい手元の用紙に「様」の字を書いてもらったところ、過半数が刃物運型でした。ヘアのカットにしても彼らはスパッ！スパッ！と一発で決めていくのでしょう。

この頃は砥石というものを見る機会がなくなりましたが、子供の頃は小刀などはよく自分で研いでいました。仲間で上手な子はピカピカに磨きあげて切れ味を競ったものです。こういう人は成人してからは刃物運型の書き方になったはずです。中には不器用で研がしたら前よりもっと切れなくなるような子もいました。非刃物運系だったのでしょう。

板前でなくとも、料理の上手な女性やら飲食店の経営者には刃物運系の人が多いようです。切れ味にうるさい人は味の違いもわかるようです。別に飲食業に関係したり、食通とまではいかなくても概して刃物運型の人は男でも自分で料理したり、どの店がうまい等、食べ物の話になると乗ってくるものです。

警察官に多いのは刃物運型？　それとも非刃物運型？

私は筆跡鑑定の仕事もしているので、警視庁の人とも話をする機会がしばしばあります。雑談の中で警官としては刃物運型の人と非刃物運型の人と仕事はどちらが優秀かと聞いてみたところ、ややあって、「やはり刃物運型の人でしょう」という答でした。ついでに、「それでは犯人のほうはどうか？」と続けましたところ、「それは刃物運型のほうが手強い」と即座に返ってきました。

刃物運系の人はどうやら司法・金融に向いていそうなのです。これまで各方面で講演した中で、経理部（課）長や、税理士、経営コンサルタント等に就いている人は、一般よりも刃物運系の比率がかなり高いようでした。税務署員の筆跡を見たこともありますが、やはり刃物運型でした。

異常接筆型

良くも悪くも「旧弊を打破する」強いエネルギーの持ち主か

筆跡の特徴

普通なら伸びない線が伸びて他の線を切る傾向

類型

性格傾向

- トラブルを起こしやすい
- 一般の人がしりごみするところを平気でやれる気質を持っている

次頁のような書き方を見かけられたことがあるでしょうか？

ごくたまにありますが、この書き方を見ると違和感を覚える人が多いでしょう。刃物運型の一種で普通は交差しない線が長く伸びて他の線を切断しています。それも偶然でというより恣意的な書き方にも見えます。

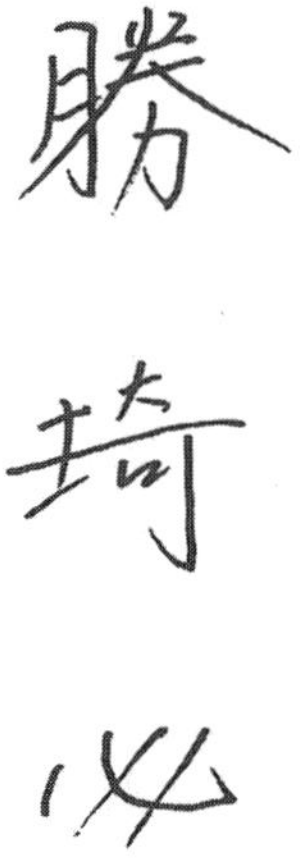

（勝）（埼）（心）

木へんの第四画を第二画や第三画までちょっと交差させたり、寺や村や鳥、馬など、最終画の点をちょっとずらせて既に書かれている線に交差させる刃物運型はよく見かけます。正しい字とはいえないでしょうが、社会的に許容されている字としてよいでしょう。

しかし、ここに挙げた「勝」の字の第九画が「月」の部分の第二画を切っているのは、「左ばらい」の勢いが強過ぎた（異常接筆型でない人がたまたま勢いよく左ばらいを伸ばしても、すぐ制御機能が働きますからこんなに長く突き出すことはまずありません）のかもしれませんが、「埼」の字では起筆から「土」の左へ突き出しており、「心」でも収筆がこちらの方向へ伸びるのは「切るため」としか考えられません。

このような書き方は、普通の感覚の人は書けと言われても尻込みするでしょう。

普通の人が怖い、抵抗があって書けない書き方を気にせず書ける人の行動は反社会的な傾向であることが多く、例えば器物を破壊するなどを、平気でしてしまいがちな人ともいえるでしょう。

一方で、長い間続いてきた悪い習慣を打破するには、それなりの制約に捉われないエネルギーが必要です。「旧弊を打破する」という言葉がありますが、改善とか進歩発展には異常接筆型の要素も強力な援軍になることがあるようです。

空間つぶれ型の苦しさの内在が芸術には欠かせないことを既に述べました。異常接筆型にもその傾向があります。

次頁の字は、平安時代初期、空海、嵯峨天皇とともに、「日本三筆」と称された書道の達人、橘逸勢の書いた字です。あちこち線が線を切ったり突き出したりしてなんという字なのか読めない人も多いでしょう。この字は「母」と書いたそうなのです。どの筆順で書いたのだろうかとなんどもなぞってみたのですが、これという決め手がないほど複雑に入り組んでいて、漢字というよりは美しくデザインされた何かのようにも見えます。

伝橘逸勢「伊都内親王願文」より

以前筆順を解読した、橘逸勢の「恩」を筆順とともにご紹介しましょう。

① ② ③

最初に四角の枠を書いて、次にその中に大の字、それから心につながります。はみ出し線を少し縮め、強連綿線を普通の連綿（続け字）にすれば誰にもわかる「恩」の字になります。全

体のバランスや空間分割のあり方など芸術的感性に溢れた字ですが、ここまでしなくてもと思われる人もいるでしょう。

橘逸勢は貴族の出身で、二十歳前後の頃、空海、最澄とともに遣唐使に従って中国へ留学しました。かなりの秀才だったようですが、帰国後、空海や最澄が歴史に残る目覚ましい活躍をしたのに対し、逸勢の業績はほとんど残っていません。留学帰りにしては出世も遅く、しかも五十代後半の頃、突然謀反に加担の疑いで捕えられ、伊豆へ流される途中病死しました。

謀反の罪は後から無実だったことがわかり、死後八年を経て名誉回復され、正五位下を追贈されることになりました。また、生前書が巧みだったことが人々の記憶によみがえり、空海、嵯峨天皇と肩を並べるまでになったわけです。

悲運の人・逸勢の筆跡には、「異常接筆」「空間のつぶれ」の字が目立ちます。そしてそのためもあってか、芸術性に関しては空海より上だという人もいます。その一方で、このような書き方をする人間性が周囲から理解されにくく悲劇を生んだとも考えられるのです。

起筆ずれ型

「ずれ」はその人ならではの美意識から。デリケートなうるさ型

筆跡の特徴

第3、第4画が下とか左右へずれる

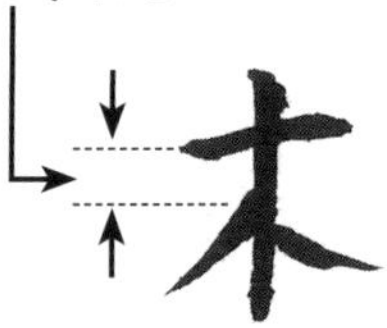

類型

性格傾向

- 感覚派、趣味嗜好にこだわるほう

接筆とはすでに書かれている線があって、次に書かれる線がそのどこに接するのか、離れるのか、交差するのかの問題となるわけですが、ここでは標準の接筆位置からかなりずれようとする心理を探ってみましょう。

性格俳優として人気の高かった木村功氏が、奥さんの木村梢さん（随筆家）に宛てた絵葉書中の筆跡です。「木」が三ヶ所出てきますが、第三画の起筆の位置がどれも第一画横線からぐんと下がっています。

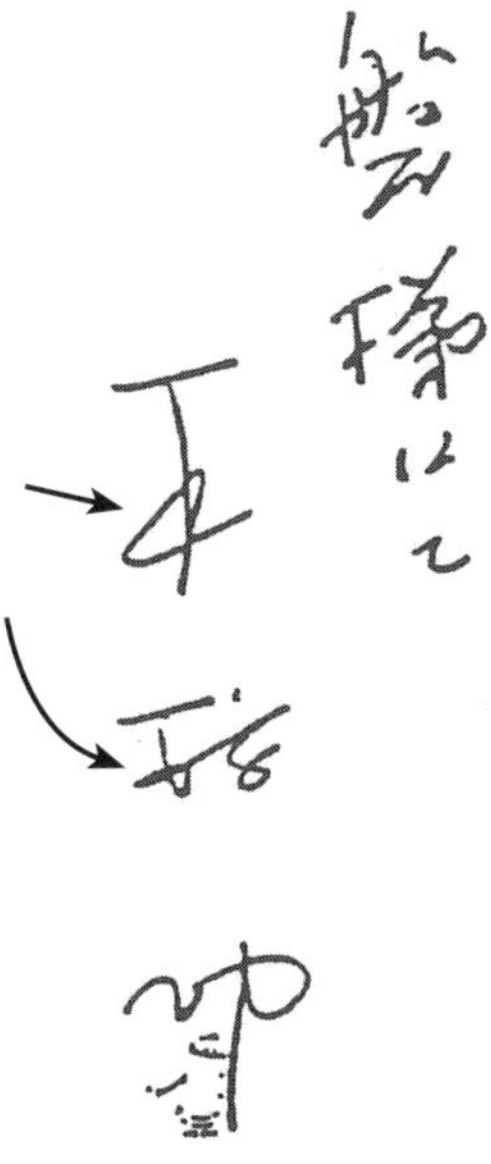

木村功さん（俳優）の筆跡

標準的な書道の手本では、「木」の字の中で、第三角「左ばらい」と第四画「右ばらい」は、起筆部がともに第一画横線と第二画縦線が交わるつけ根のところになっています。それが日常書く中では少し下にずれることが多く、とくに第四画では第三画よりもっと下がったところで起筆となっている人のほうが多いようです。起筆部が縦線と横線のつけ根部分より、それより少し下になる人のほうが多いのならそれが標準で、そのような書き方をする人の性格も、日常行動もごく普通ということでしょう。

起筆ずれ型として、普通とはまた違う性格の人は、この木村功さんに近いあるいはそれ以上の起筆ずれ型であることを要します。

起筆ずれ型の人は、一口で言えば感覚派で固有の美意識が強いようです。美意識とは例えば花瓶に花を差すのに、華道の心得があろうがなかろうが、咲いた花の位置を重ならないよう少しずらすでしょう。全部同じ位置に揃えたりはしません。それが美意識です。木へんの「左ばらい」の起筆を縦線、横線の交点より少し下に書き、第四画はそれよりまた下に書くのは、オーソドックスな天地人の配列の美意識かもしれません。木村氏の「左ばらい」の大きなずらし方はオーソドックス性に比べるとまた一つ固有性の強まった美意識かと思われます。

縦線から下方へもずらす

起筆の「ずれ」は上下方向だけでなく、左図のように左方へずらす書き方を常用している人も時々見かけます。この書き方の人も固有の美意識を持っているようです。美意識が強いからといって必ずしも芸術家とは限りませんが、感覚はデリケートで、趣味、嗜好にうるさかったりする人が多いようです。

4 「文字の姿勢」の特徴

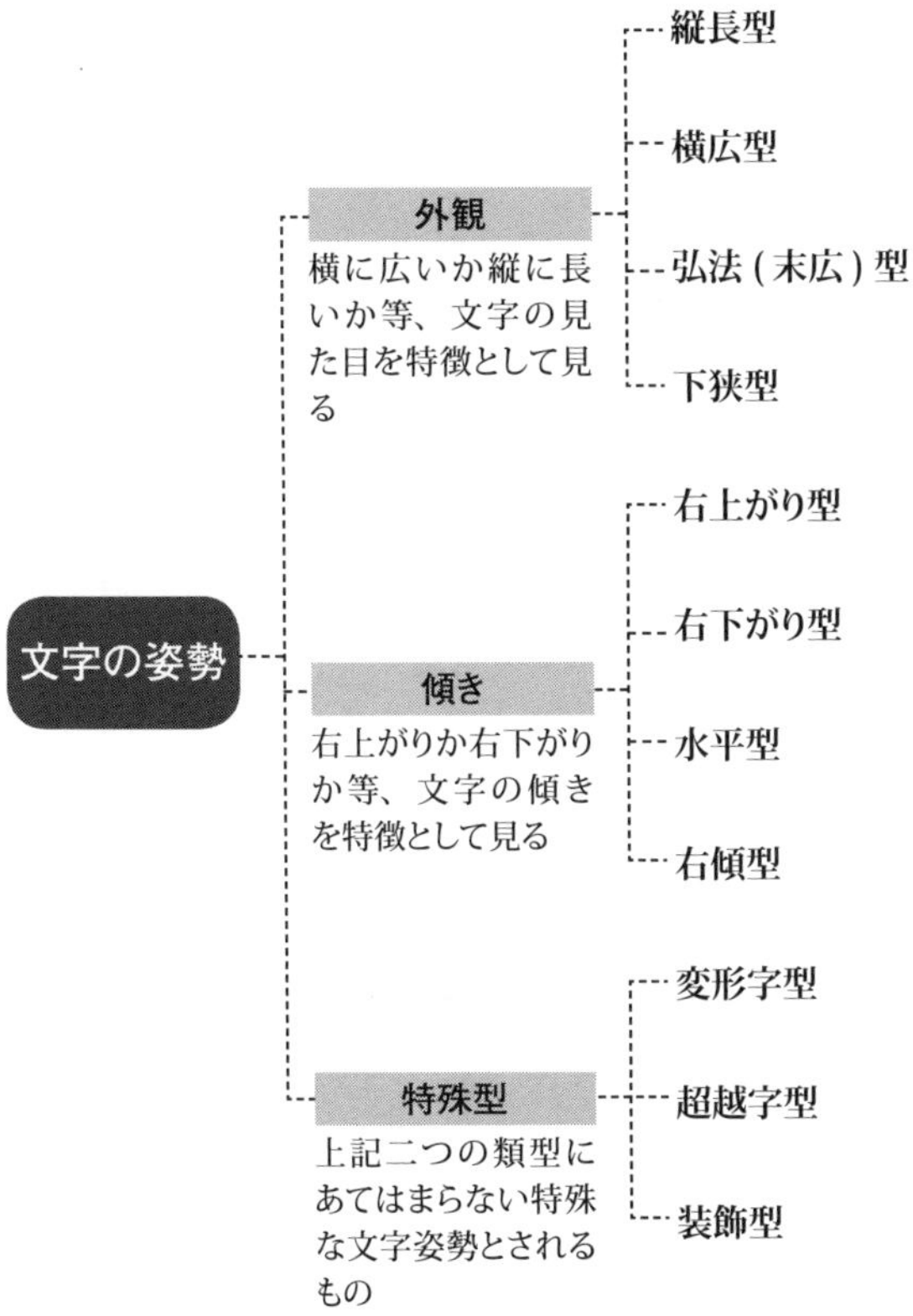
文字の姿勢
外観
横に広いか縦に長いか等、文字の見た目を特徴として見る
縦長型
横広型
弘法(末広)型
下狭型
傾き
右上がりか右下がりか等、文字の傾きを特徴として見る
右上がり型
右下がり型
水平型
右傾型
特殊型
上記二つの類型にあてはまらない特殊な文字姿勢とされるもの
変形字型
超越字型
装飾型

人間の見かけに、面長の人、丸顔の人、太った人、痩せた人、いつもうつ向き加減の人、肩を張った人等あるように、書かれた文字にも姿勢が伴います。その姿勢の特徴ごとに書いた人の人間像とのかかわりを調べてみましょう。

縦長型と横広型

余計なことはしない〝貴族型〟と骨惜しみをしない〝庶民型〟

縦長型

筆跡の特徴

縦長傾向が強い

類型

性格傾向

- おっとりしている
- 貴族的傾向

横広型

筆跡の特徴

平たい字が多い

類型

性格傾向

- 骨惜しみせず活動的
- 庶民的傾向

縦長型の人は背が高く、横広型の人は低いのかというと、それには全く関係ありません。関係するのは、それを書くのに要するエネルギーとか運動量といったものの影響のようです。

漢字、かな等日本の文字は、本来縦書に書くよう作られ発展してきたものです。そして縦書で字を書き進めていく時、縦方向は進行方向で、横方向は付加方向です。例えばはがきの宛名書きで、一行同じ字数、同じ長さで書いた時、縦長の字であれば全体がほっそりし、横幅の広い字だと紙面がつまってきます。同じ時間で書くとすると、一本一本の線の書かれるスピードは横広型のほうがかなり早くなります。一見してエネルギッシュな感じもします。

これは地震の揺れを記録する波型のグラフと似たようなことを表わします。地震計は、「横」の進行方向に対して「縦」の揺れ幅が地震の揺れを表わし、その幅が大きいほど地震エネルギーの強さを示します。筆跡に置き換えると、縦の進行方向に対し、各字の横の線は振幅に相当するといえます。横幅が広くなるほど運動量が多くなるのです。

縦長でも横広でもない普通型は、活字では正方形ですが、手書き文字はやや縦長というのが伝統的に標準体で、縦長型の字を書く人の特徴は、縦長度が強いほどその表す性格も明瞭になってきます。

縦長度が強くなるということは、縦の長さは標準と同じとすると、横の線が標準より短くなるということです。進行方向に対して振幅は小さくなり、それに応じて所要エネルギーは小さくすみます。つまり省エネ型です。この書き方の習慣がしみついた人は、日常行動でも派手に動きまわることは嫌いでしょう。余計な運動は控え、自分が動くより人にやってもらいがちではないでしょうか。いわば貴族型です。

これに対し、横広型は活発に動きまわります。庶民型です。骨惜しみせず、何事も手早く、名より実を取ろうとする傾向が強いでしょう。職場などでテキパキと活動的に仕事をする人はやはり横広型の書き方の人が多いようです。

弘法（末広）型

開運の書法として多くの継承者を生んだ弘法大師流

筆跡の特徴

構えの字であって、
下部になるほど広く、末広
がり形の字

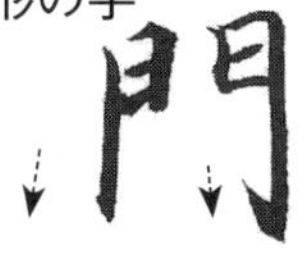

類型

性格傾向

●安定繁栄志向型

没後、弘法大師の名でも呼ばれるようになった空海は今から一二〇〇年ほど前の人、遣唐使に随行して中国に留学し、仏法の神髄を学んで帰朝し、わが国での真言宗の開祖となりました。知能指数が史上最高ではなかったかと言われるほど知識・技能に万能で、全国を歩いて旱魃の地にはダムを作り、川には橋を架け、工芸を伝授したところから、思いもかけぬところに、弘法大師（空海）の泉と称される井戸があったりします。

空海は書道の達人で、日本三筆の一人、日本の書道の開祖ともされています。「弘法筆を選ばず」とか「弘法も筆のあやまり」等の言葉を聞かれた人は多いでしょう。

空海の書で国宝となって残っているものはあまたありますが、そのひとつ『灌頂記』（『灌頂暦名』ともいいます）の中にある「圓」の字を見てみましょう。くにがまえ（構え）の字で、現在は当用漢字で「円」となっていますが、この字には、字全体を支えるかのように両側に二本の縦線があります。「国、園、囲」等の字がくにがまえの字です。構えの字には他に、「門、問、聞」等もんがまえの字、「円、周、岡」等のけいがまえの字もあります。それぞれ字の両側に長い縦線がある字です。これは門の両側の柱のようでもあり、単純化すれば鳥居のようでもあります。

空海
「灌頂暦名」より一部
神護寺所蔵

お寺や神社の門は特別丈夫に作られています。「門が傾く」「国が傾く」はとんでもないことです。それぞれ二本の柱は下がやや末広がり気味にしっかり立っていることになっています。神社の鳥居「开」はどこでも下の幅が上の幅より広く、柱二本だけですが、実にどっしりと安定感を与える形で立っています。構えを構成する文字もこれが理想なのです。

空海の書法は「大師流」と呼ばれて長年受け継がれてきました。このくにがまえも大師流の一つです。芸術性に優れている書家は数多くいましたが、この「圓」の字など、学ぶと末広がりの姿勢が身につき、開運の書法とされて浸透していったのでしょう。源頼朝、北条早雲、徳川光圀等、歴史上の人物の筆跡に弘法型のくにがまえの字がよく見られます。

下狭型

漢字は書き順から上に現在、下に未来への心理が表れるもの。
では、下が狭いということは……

末広がりが弘法型だとしたら、下が狭くなるのはどうなのだろう、とか、右ではなく左へ傾く字も同じく転びそうなのだろうか等の質問も出てきそうです。

筆跡の特徴

下部が狭くなっていく書き方

類型

性格傾向

- 芸術的感性あるがしりすぼみ型

イ

左傾型

ロ

下狭型

まずイの左傾型から。

左へ傾くのは実は転びそうな感覚とはなりません。なぜなら漢字は上から下へ、右から左へ書かれていく文字であり、下方向や左方向は前方に相当します（この件に関してはコラム②の中で詳しく触れています）。つまり左傾型というのは前方へ傾斜しているということになるわけです。

前方への傾斜は転ぶというより、むしろ積極的な進発の意味があります。

これに対し前項、右傾型の後方へ傾くのはのけぞる形であり、それはすなわち、姿勢をくずす、転ぶ、倒れるという結果につながります。

その点、これもコラム②で触れますが、ローマ字の場合、左から右への横書きです。右方が進行方向になり、右方へ傾くのが前向きの姿勢、左方へ傾くのがのけぞり型になります。ローマ字文化でのグラフォロジー（英名は graphology 日本語訳は筆跡心理学）では、筆記体の右傾型が積極姿勢、左傾型に書く人は批判的とか消極的な人と解されています。

文化の差の問題、縦書き、横書きの問題はここでは置くとして、漢字の左傾が何を意味するかを考えてみると、構え（もんがまえ、くにがまえ、けいがまえ）の部首を持つ字が、右側へ傾くように書かれている場合は右傾型として強い特徴を持ちましたが、左傾型の場合は、どちらかというと積極的という程度で、固有の強い特徴は今のところ見当たりません。それはローマ字グラフォロジーの右傾型と同じように見えます。

「口」の下狭型は、弘法型の反対の書き方になっています。文字は書き始めの上が現在で下が未来ですから、未来へいくほど狭くなるのは普通の感性の人では嫌うところです。芸術家とか評論家肌の人に比較的多い書き方ですが、深層心理的に見ますと、発展性よりは、消極性が強いという見方になるでしょう。

弘法型と下狭型を書風になぞらえてみれば。名書家・虞世南《ぐせいなん》、欧陽詢の個性や日中の好みの差も見えてきます

弘法型、下狭型をみてきましたので、筆跡の型には入りませんがこちらをご紹介をいたします。書道では、「背勢」「向勢」という書風があります。構えの字で、両側二本の縦線が中央部を狭くするように書かれるのが「背勢」、ふくらむように書かれるのが「向勢」です。字の与える印象として、背勢は引き締まって俊厳な感じ、向勢はふところが広くゆったりした感じとされています。

ただしこの背勢の俊厳な感じ、向勢のゆったりした感じが、その書き方をする人の人間性も表しているのかというと、よくわかってはいません。「背勢」の書き方の代表者欧陽詢、「向勢」の代表者虞世南、ともに千四百年ほども前、初唐の頃の人。二人とも楷書の代表的な大家で欧陽詢の書は楷法の極則と称されて、日本ではとくに重んじられてきました。一方虞世南は内面の広さを買われて、中国では欧陽詢よりも上位に置かれてきました。ただこれは人間性としての二人の比較ではなく、書風の好みの違いということです。

欧陽詢の俊厳な書き方が日本人向きだとすると、日本人は法に対して忠実度が高く、大らか

背勢

欧陽詢「九成宮醴泉銘」より一部

向勢

虞世南「孔子廟堂碑」より一部

ともに三井記念美術館所蔵

さ、ゆったり感の虞世南型を好むと〝大人〟（たいじん）と言われる中国人気質となるのかもしれません。

右上がり型と右下がり型と水平型

「体制派」か「反体制派」か「ノンポリ」か

書道での手書き字の基本姿勢は、やや縦長、やや右上がりとなっています。伝統的にそのあり方が一番美しい書き方とされてきたのです。そのため学校での手本はすべて右上がりで、右上がりに書くよう指導を受け、きれいに書かれた字はどれも右上がりであることに親しんできたものです。

従って社会の体制はやや右上がり型とも考えられ、そうすると書く字が右上がりの人は体制

右下がり型

筆跡の特徴

右下がりが強い

類型

性格傾向

- ●評論家、批評家型
- ●学者、文化人に多い
- ●へそまがり傾向もある

右上がり型

筆跡の特徴

右上がり度が強い

類型

性格傾向

- ●保守派、体制派
- ●組織の中で誠実

水平型

筆跡の特徴

右上がりでもなく右下がりでもなく、ほとんど水平

類型

七　夏　陽

性格傾向

- さめている。ノンポリ派、どちらでもいいというケースが多い

派、右下がりは反体制派、水平型はノンポリとの見方もできます。

それは言い過ぎ、極端かもしれません。果たしてそのような要素があるものかないものか検証してみましょう。

まず、「体制派」という言葉について広辞苑を引きますと、「権力を握って、現在の社会を支配する側に属する派」とあります。右上がりの書き方を権力で強制しているわけではないでしょうが、美しいとされる字が普通右上がりで、大多数の人が右上がりの書き方をし、義務教育の

書道の手本も右上がり型だとすると、右上がり型は体制派に属するとしてよいと思います。

そして右上がりの書き方は伝統的に育まれてきた世界なので、伝統に忠実ということは保守的とも言えます。ただこれは政治思想が保守派というわけではありません。広辞苑にあるように「現在の社会を支配する側」とは、ここでは書に関しての伝統的な社会ということになります。

この社会では「やや右上がり型」が基準なのですから、多くの人の書いているやや右上がりの書き方はべつに特徴ではありません。普通よりぐんと右上がり度が強くなって初めて「右上がり型」という特徴としてよいと思います。

そしてやや右上がりを標準とする状態から、ぐんと右上がり度を強くする書き方は、体制の中でそのあり方を推進し、リードしていこうとする立場に通じます。

私が大学生だった頃、学園には左翼系のアジ看板が林立していたものでした。その看板の字に、角張った強右上がりの字が多かったことを覚えています。体制派の字です。左翼系という体制の先頭に先立って引っぱって行こうとするには右下がりでは不適性でしょう。強右上がり型は旗振り役の字でもあります。

そうすると、強右上がり型の人は、会社の中では総務部長とか営業部長、あるいは労働組合の幹部などにも向いていそうです。

右下がり型はへそ曲がり型とも。批判精神にも富んでいます

これと反対の行動傾向が表れるのが右下がり型です。

きれいな字のモデルになるのがやや右上がり型で、多くの人達がその書き方をするところ、自分は反抗するかのように右下がりの字を書く、へそ曲がり型とも言われますが、頭の良い人に多く、批判精神に富んでいます。

評論家、学者、小説家などの筆跡によく見かけられます。ただ集団の中ではこの人の発言に白けることもあるでしょう。皆がわーっと盛り上がろうとするところ、水を差すようなことを言ったりもします。しかしそれが正論だったり、よりよい方向へのヒントになったりすることもあるのです。

右下がり型の典型的な書としては明治の美術評論家で東京美術学校（東京藝術大学の前身）校長岡倉天心の書が有名です。

なお、やや右上がり型というのは右上がり型でも右下がり型でもなく、普通ということなのですが、もう一つ、水平型という特徴があります。

これは完全な水平と一見ほぼ水平に見える両方を含んだ中間あたりになります。水平型は水

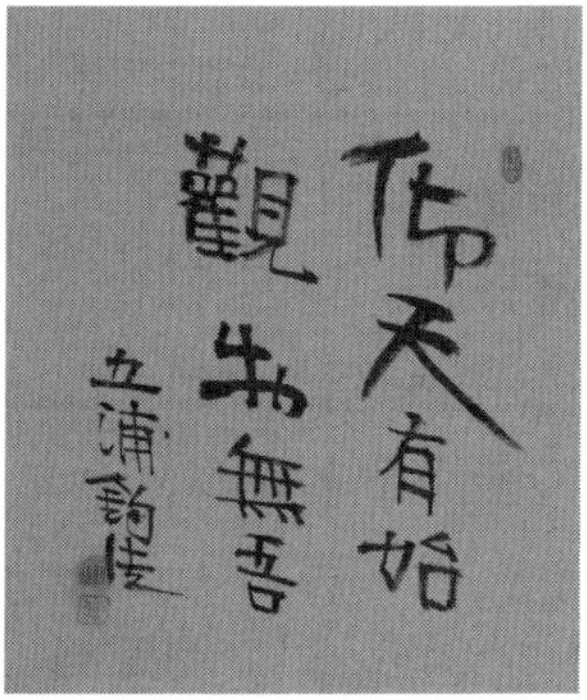

岡倉天心　漢詩
「無題（仰天有始）」
横山大観記念館所蔵

平に書けばいいだけだから簡単だと思われがちですが、薄めの白い紙に自分の住所氏名を縦書きで一応水平を心がけながら書いてみて下さい。ほぼ水平だと思われたところで紙を裏返し、明るい方へかざして見てください。自分としてどの線も水平に書いたつもりだったところ、裏から見るとやっぱり右上がりだったという線が沢山あるはずです（これが普通の人）。

なぜ表で見てと裏から見てとが違うのかと言うと、表から見ると文字から意味を取りますが、裏から見ると文字が書いてあってもすらすらとは読みにくく、沢山の〝線〟が引かれている状態を見る心境に近いからです。単に沢山の〝線〟ならその中の横線の状態が水平なのか少し傾きがあるのかはかなり正確にわかります。しかし表で文字を見ると、やや右上がりが普通ということに馴染んだ文字の横線は、実際は少し右上がりでも水平に見えやすいのです。錯覚の一種でしょう。

それで厳密に水平というのは、一応水平と見えるものより水平度が高いのですが、別に水平に書こうと意識してでなく、いつ書いてもだいたい水平と見える書き方をしている人に水平型という特徴をあてはめてよいと思えるのです。

やや右上がり型、これが普通で体制派でも反体制派でもありません。しかし水平型はノンポリ派ともいえるさめたタイプです。どう違うのかというと、ふつう型はやや右上がりに書くという伝統文化がしみ込んでいるのに対し、水平型はどうやらその伝統の影響が少ないようなのです。

学校での書道の時間が少なくなってきたことも大きく影響しているのでしょう。目にする文字が書よりも活字であることが圧倒的に増えてくると、書く時のお手本も、おのずと書の文字より活字の文字になってきますから、書をお手本にしてきた伝統的な手書き文字の感覚から外れる人が増えてきたのも道理といえます。

その人達は体制派でも反体制派でも中間派でもなくその外側にいて冷めています。どちらにも無関心です。すでに古くなりましたが、新人類という言葉が流行ったことがありました。水平型筆跡発生の頃だったかもしれません。今ではその書き方の人が多くなり、「新」とつけるまでもなくなったようです。

右傾型

源義経、太宰治に典型あり。天才性と表裏一体の危うさも併せ持つ

筆跡の特徴

構えの字の右側縦線が右へ傾く

類型

性格傾向

- 転倒運・失恋運等がある
- しかし、危ない橋を渡る能力には優れる

次のイ、ロの字を見て、どちらが安定感のある字だと感じますか？

そう質問すると、ふだんこういう字を書いていない人なら十人が十人、ロと答えるのではないでしょうか。実際、イの字の印象は右へ転びそうだ、とか、何となく不安感を起こさせる字だと言う意見を聞きます。

ところが、世の中にはへそ曲がりな人もいて、こういう書き方に安定感を感じるという人もいます。実際にイの書き方をした人に質問してみたことがあります。

―この線（岡の字の第二画の縦線部）が右へ傾いていますが、自分でもそう見えますか？

「どんな感じですか？」

―傾いています

「字が右へ転びそうな感じです」

―そう感じながら書いているのですか？

「言われれば感じますが、いつもは何も感じません。癖ですから」

右のような回答をしたのが一人ではありません。私は昔、人事管理の仕事をしていて、中途採用者の履歴書を見ながら面接した数がかなり多くあります。複数社を転々としてきた経歴の人が多く、倒産のために退職というケースもよくありました。そういう場合に右傾型の字を見かけることが多く、前掲のような質問を何度かしていたのです。

会話内容はみなほとんど同じでした。その頃私はまだ筆跡心理学の研究はしていなかったのですが、あとになってはっきり思い出すことができます。

つまり右傾型の字を書いている当人は、自分の字が右傾型であるとわかってもいなければ、それが転びそうな感じでもっとまっすぐな字のほうが良いこともわかっていても、癖だから仕方ない、直そうとも思わないと思っているのです。

それはそれでいいとして、多くの人が不安定だ、転びそうだと感じる字を、それとわかっていながら書き続ける心理（意識していないので正確には深層心理）があることは、その人が他の行動においても、危ない、恐い！というような事にも、あまり強く感じない傾向がある、ともいえるのではないでしょうか。さらには、少々危ない立場にあるほうが当人としては緊張感やスリルがあり、ついその立場を求めがちになるということもあるのではないでしょうか？

右傾型の人は、転倒、挫折、失恋、倒産等あまり好ましからざる事態に陥りやすい傾向があります。深層心理的にその近くに身を置きたがるのかもしれません。その一方でこの書き方の中には、優秀な人、天才肌の人も多いのです。危険な立場に身を置くことが多いと、反射神経が磨かれ、危機対応能力に秀でてくるのでしょうか。普通の人ではやれないことを軽くクリアする天才も生まれてきそうです。

源平合戦の英雄、源義経の筆跡には、左ばらい、右ばらい長突出の華やかさがありますが、一方、縦線右傾型、つまり転びそうな字が随分目立ちます。その天才性は誰しも認めることでしょうが、求めて危難を招いていたようでもあります。

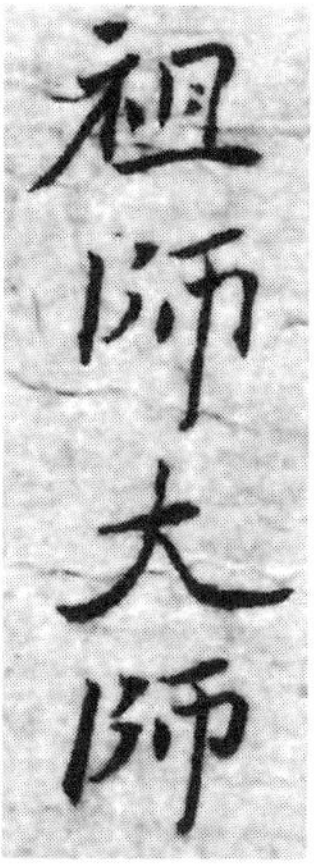

源義経「自筆金剛峯寺衆徒解文外題」より

現代になっては、芸術性においては戦後最高峰の一人ながら、デカダンスとか破滅文学者と言われた太宰治の筆跡にも右傾型の字がよく出ていました。

変形字型

特殊な仕事面での非凡な才能を感じさせる

筆跡の特徴

普通の書き方とは変化するが全体の形はまとまりがある

類型

性格傾向

- 異能者型
- 芸術とか特殊な仕事の面で非凡の才あること多し

三千年以上の歴史を持つ、字体の移り変わり

漢字は三千年以上前の甲骨文から、金石文《きんせきぶん》、篆書《てんしょ》、隷書《れいしょ》、楷書、行書、草書と変化発展して

きました。甲骨文、金石文は使われなくなってから久しく、篆書は孔子や孟子の頃の書体です。この篆書は今でも印鑑の実印等には使われていて、手元にお持ちの方もいられるでしょう。

篆書についで隷書。中国の秦から漢にかけての書体です。秀麗さや重厚感のある字で、現代でも記念碑や本の標題等の文字で見かけることがあります。しかし複雑な字も多く、漢の時代に正式書体として隷書→楷書と変遷しました。ちょうどその頃、毛筆の改良が進み、紙が発明されました。早く、美しく書ける態勢が格段に整ってきたのです。

こうして漢代に正書体として楷書、実用目的の書として行書、さらに早書き用として草書の三書体が確立されました。今から二千年近く前のことです。この三書体は以降現代に至るまで、ほぼ変わらずに使い続けられてきました。漢代に確立したので「漢字」と呼ばれています。

この楷行草の三書体は現代でも読み書きできる人はある程度います。しかし、戦後当用漢字の時代になってから、草書はわからないという人が圧倒的に多くなりました。楷書でも、旧漢字から当用漢字に変わった字が多く、旧漢字だと読めないという人も増えています。

旧漢字と当用漢字、同じ意味を表しながら、字形が少し変化しています。一方の側から見れば他方は変形字です。しかし、現代当用漢字となり正しい字とされている字の大部分は六十年あまり前は俗字とか変形字とされていました。その頃旧漢字が正字だったのです。言葉でも俗語があり、方言があります。文字も変遷の歴史をたどる中で、現代では当たり前に皆が使っている字も初めは俗字であり、あるいは略字、誤字でもあったわけです。

（努）

（走）

それら誤字、略字、俗字等は、一般的には使われていない頃は「変形字」と呼ぶべきものだったのでしょう。誰か書いた人がいても、書き良さ、形の良さその他何らかの長所がなければそのまま消えていき、長所が一般に認められればまず俗字へと発展していくのでしょう。

私が筆跡にかかわる仕事を始めて三十余年。変形字型と言ってもよいような例としては例えば右のような字も見ました。点画の構造が正常な字から少しずれています。しかしずれがあるだけで、あるべき点画が無くなったり、別な点画が加わったりしたわけではなく、完全な誤字ともいえません。

もちろん、単に下手なためにくずれたりいびつになったり、変形字型にはさまざまあります。しかし全体の変化にまとまりがある時、その字を書いた人には芸術や特殊な仕事の面での非凡な才能があることが多いものです。篆書、隷書、楷書とさまざまの字形が生み出されてきた背景には、生まれ、消え、残っていった厖大な変形字があったことと思われます。時に目がさめるような変形字に出会うこともあり、いろいろの筆跡に目を通すことは楽しいものです。

超越字型

歴史上の人物なら織田信長。ワンマン。断乎実行。

そして、わが道をいく

筆跡の特徴

当人はのびのびと書いているが、初めての人にはまず読めない字をよく書く傾向

「線」のくせ字

類型

性格傾向

- 創業者タイプ
- 能力優秀なワンマン・リーダータイプ

織田信長の筆跡は強連綿形が多くかつ省略度の強い字があり、判読が難しかったりします。左図の字もなかなか「自」とは読めません。しかしいかにも堂々としていて、ちゃんと「自」と読めと自己主張しているようです。

小泉純一郎元首相、石原慎太郎元都知事の筆跡にも、前後関係なく、その一字だけ抜き出したら到底わからない字がよくあります。どうやらワンマン型のトップの筆跡に多そうです。周囲に気を使うことを大切にするならわかりやすい字を書くはずでしょう。経営者では創業者タイプ。断平実行を得意とし、わが道をいくほうです。

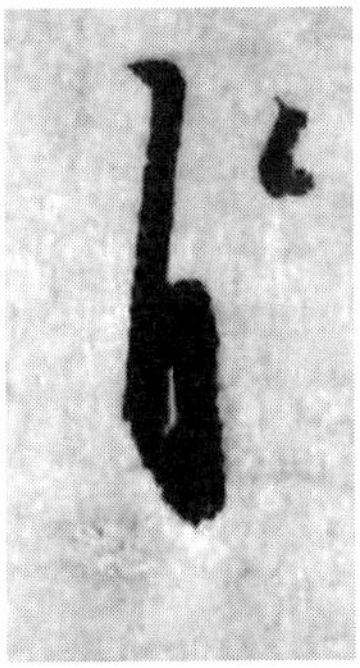

織田信長
「自筆書状」より
＜自＞

装飾型

「飾り」はおしゃれ精神の表れ。
意外にも猛将・武田信玄にその傾向あり

筆跡の特徴

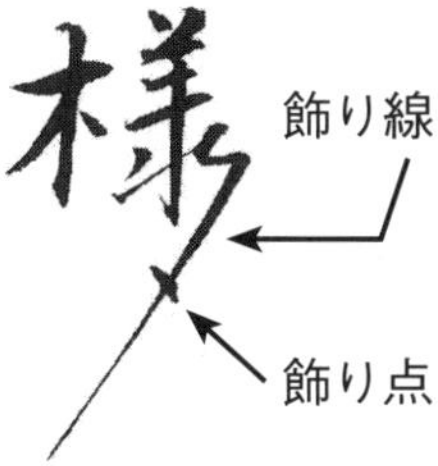

類型

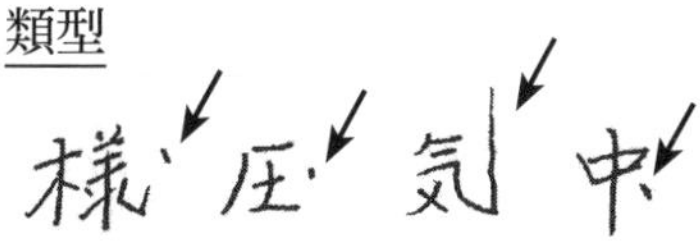

性格傾向

- おしゃれに気を使う
- 派手好みの傾向

若い人で宛名書きにつける「様」の字に、右の筆跡の特徴にあるように飾り線とか飾り点をつける人がいます。

おしゃれ点といったりもします。別につけなくてもいいわけで、それをわざわざつけるのは指輪とかネックレスをつけるのと同じおしゃれ精神の表れでしょう。

戦国時代の武将武田信玄、川中島での上杉謙信との死闘が有名で戦国時代で最強とも言われた猛将でした。その信玄の筆跡に、意外にも飾り点が目立ちます。

武田信玄
「自筆書状」より

歴史上著名な人物でこれほど飾り点の多い人はそう見かけません。「然處振舞」の四字のうち三字にまで飾り点があります。このうち「然」の字は楷書では飾りではなく点がつきますが、草書ではなくてよいし、この書き方ではないのが普通です。

武田信玄は自分の軍団の旗印に「風林火山」と書いたものを掲げたそうですが、おそらく目立つ旗を沢山掲げたことでしょう。それと愛妻は美人だったでしょうし、自分の服装、身だしなみも格好をつけるほうだったと思われます。無意識的に飾り点を多くつける習慣の人は、日常の他の行動においても、何らか区切りよくつけ加えるものを加えて事柄が円滑に進行していくはずだからです。

5 「線質」の特徴

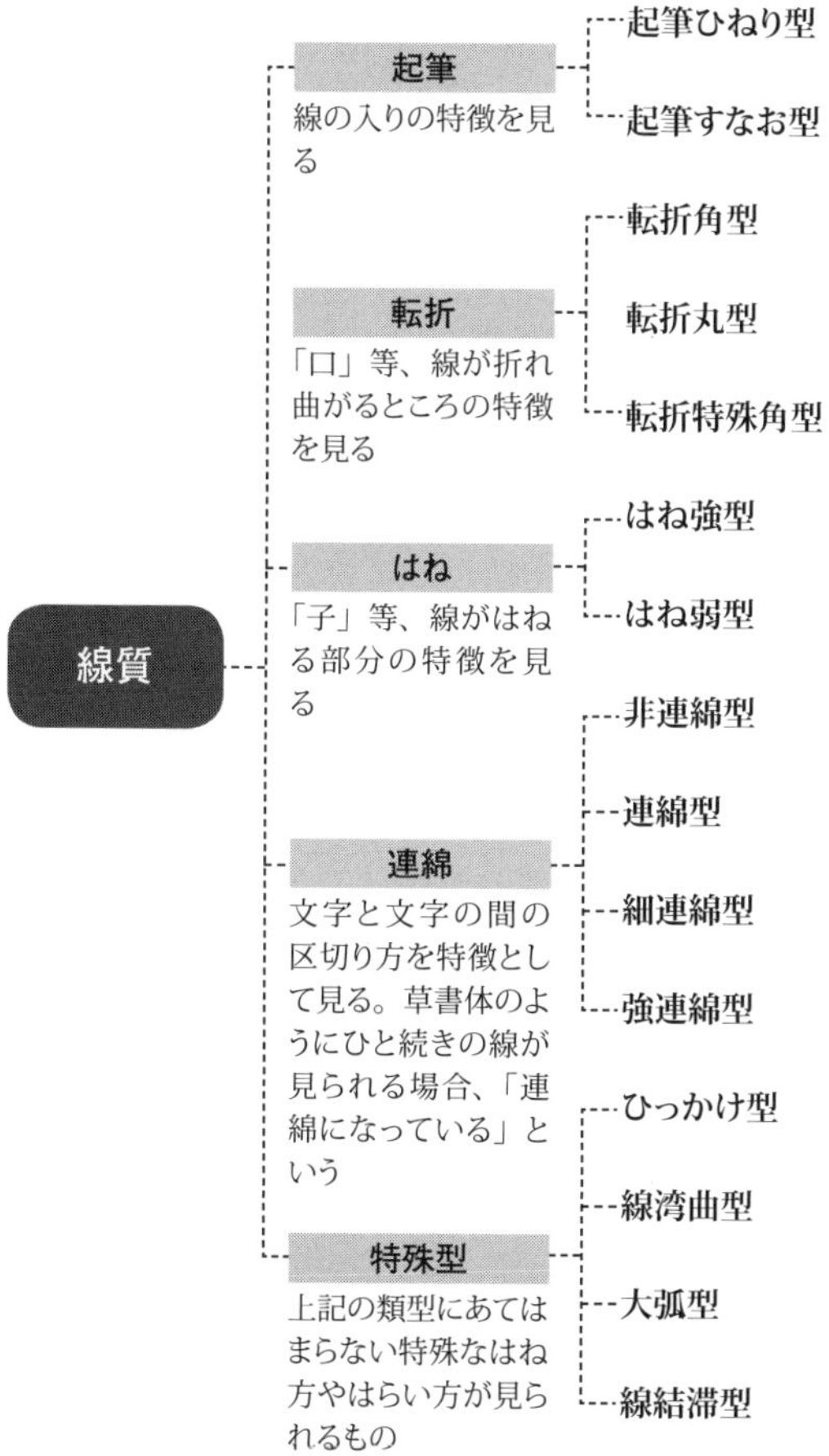
線質
起筆
線の入りの特徴を見る
起筆ひねり型
起筆すなお型
転折
「口」等、線が折れ曲がるところの特徴を見る
転折角型
転折丸型
転折特殊角型
はね
「子」等、線がはねる部分の特徴を見る
はね強型
はね弱型
連綿
文字と文字の間の区切り方を特徴として見る。草書体のようにひと続きの線が見られる場合、「連綿になっている」という
非連綿型
連綿型
細連綿型
強連綿型
特殊型
上記の類型にあてはまらない特殊なはね方やはらい方が見られるもの
ひっかけ型
線湾曲型
大弧型
線結滞型

見分けにくい一本一本の小さな線のあり方の中に人間の行動傾向が濃縮してつまっているのです

文字は線でできています。ここまではその線の配列のあり方を中心に、配列の意味するもの、さまざまの配列の型について説明してきました。この節では、その配列のもととなる線そのもののの性質について掘り下げてみましょう。

線は、「起筆（始筆）」「送筆」「収筆（終筆）」の三段階で構成されます。点はどうなのかという疑問が生じますが、画数の上では点も線も同格であり、実際にペン先を紙面につけただけの点では読める字にならない可能性があり、誰でもちょっとペン先を動かします。つまり点はごく短い線というわけです。

そこで線の性質としては、基本的には、起筆、送筆、収筆の三段階の中で認められる「形態上のあり方」と、「筆圧」、それと「筆速」ということになります。「筆圧」と「筆速」に関しては性格との関係が欧米ではかなり研究されたようですが、筆圧計の計器の上で書いて初めて筆圧がわかるというような条件があり、歴史上の人物の筆跡との比較などは無理です。従って本書での研究対象から項目としては外しますが、例えば、「はね」の強弱とか、強連綿線と細連綿線（連綿とは続け字のこと）の区別等、形態上の特徴から筆圧や筆速を推定できるような場合、時折必要に応じて触れることとしたいと思います。

ただしこの線の性質には、筆圧、筆速の影響も含め微妙な問題が多く、正確につかむには訓練を要することもあります。この線の性質では細い線のさらにまたその先端部分等、紛らわしいところが多いことも念頭においてください。一目でわかるような明瞭さはないとはいえ、しかしこの一本一本の小さな線のあり方の中に人間の行動傾向が濃縮していることをご理解いただけるようご紹介したいと思います。

起筆ひねり型と起筆すなお型

起筆は物事の始め方に通ず。さて、あなたの場合は……？

起筆は一本の線の書き始めの部分です。簡単に言えばこの部分に力が入っているのかいないのか、すなわち筆圧が強いのか弱いのかがポイントということです。

筆圧計の上で書いてもらえばすぐ数字になって出てきますが、筆圧計そのものを見たことがある人自体滅多にいないでしょう。しかしこの起筆部に力が入ったのかどうかは、書くという

起筆すなお型

筆跡の特徴

起筆がまっすぐに入り、筆圧もあまり強くない

類型

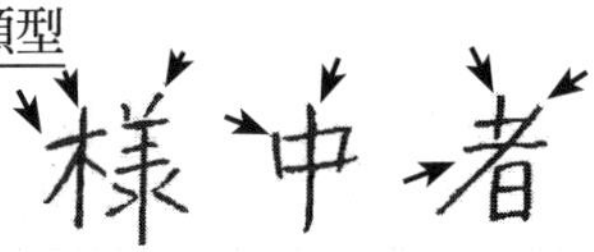

性格傾向

- 素直
- 人の意見に左右されやすい純情型

起筆ひねり型

筆跡の特徴

起筆の打ち込みが強く、ひねりもある

類型

性格傾向

- 意地っ張り
- 我が強い
- 何事につけ、自分の意見を持っている

行動の解析に非常に強い意味を持ちますので、筆圧計はさておいて、起筆部の形態的なあり方から推定して解析を進めたいと思います。

まず分類として、起筆部の筆圧が非常に弱いもの、非常に強いもの、及びその中間の三つに分けましょう。中間、すなわちふつう型は、多くの人がその書き方をしているので特徴というわけではありませんから、とくに調べることは省きます。

注目すべきは筆圧強のひねり型と筆圧弱のすなお型です。

起筆はここから始まるという出発点なので、そこに力が入るのは当然とも考えられます。ただ、文字一字の中にも線はいくつもあり、文章を書く段になると、線の数は無数です。全ての線に一つ一つ改めて力を入れていたのではスピードが落ちてしまいます。それで、起筆部に力が入っているのかどうか、ひねりがあるかどうかをチェックするのは、文章や語句の書き始めの字の第一画とか主要な字の縦線頭部のあり方が中心となります。

書き始めの部分となる起筆に力を入れるということは、これから始めるという、小さいとしても緊張が伴うはずです。仮に何か考え事をしていて惰性で書いていたとしたら、力の入った起筆部などは生じてこないでしょう。

つまり誰しも主要な字の起筆部では無意識的にしっかり力を入れているもので、それが普通なのですが、ここで取り上げたいのは、普通以上に力の入っている起筆強型（ひねり型）と起筆部に力を入れた痕跡がほとんどみかけられない起筆弱型（すなお型）です。

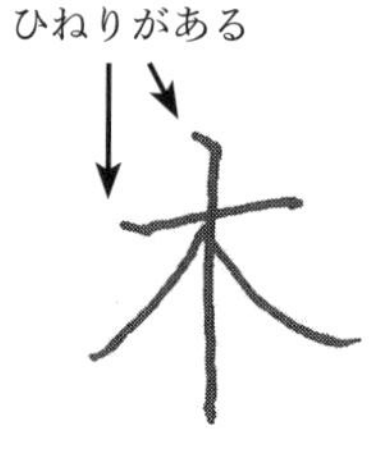

ひねり型
（筆圧強）

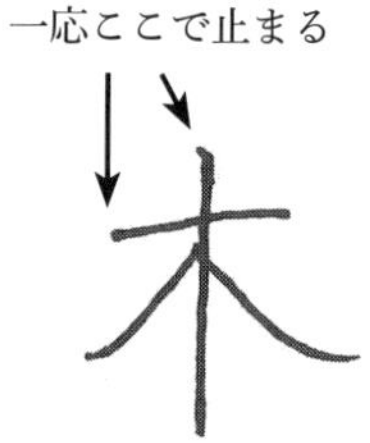

ふつう型
（普通）

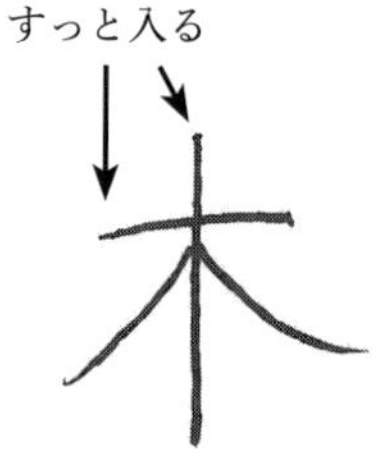

すなお型
（筆圧弱）

起筆を人並以上に強く書こうとするのは、これから始めるという意識がそれだけ強いと思われます。かつ何となく始めるというのでなく、これは自分がこんな考え方でする、こんな姿勢でするという心の持ちようも強いのではないでしょうか。それが起筆の強さになって表れ、また単に力を入れただけではなく、ここから起筆なのだというひねりのアクセントを加える心境ともなるのでしょう。

　そして普通よりもひねりの強い起筆の書き方をする人は、他の日常行動においても、何となく始めるというより、これから始めるとけじめをつけて始めようとすることが多く、また人に言われるままでなく、自分の意志で、自分なりに納得しての行動が多いと思われます。

これに対し、起筆弱型（すなお型）の人の書き方は、ある文章、語句の中の各文字のどこにもひねりや強い筆圧がかかった起筆部が見られないということです。それは字を書く以外の行動でも、これはこうあるべきだと意識して行動する習慣があまりないことを意味しそうです。よく言えば性格が素直です。人の言葉にいちいち引っ掛かったり、待てよと考えたりしません。それだけ周囲から好かれ、目上の人からは可愛がられそうです。ただ人からの影響されやすさはあります。

起筆ひねり型、すなお型には、それぞれ長所短所があることになります。それを整理してみましょう。

	長所	短所
起筆ひねり型	何事につけ自分なりの考え方を持っている。また、しっかりしていて信頼感がある。	我が強く意地っ張り。 人の意見に対し素直でない。
起筆すなお型	性格が素直。 我を出さない。 人に好かれる。	自己主張が苦手。 人の意見に左右されやすい。 リーダーとしては弱い。

なお、ひねり型とすなお型、両者の中間がふつう型ですが、実際にはふつう型が大多数です。ふつう型の中ではすなお型に近いものとひねり型に近い者がおり、境界線はあいまいになります。それは人間が十人いるとして、意地っぱりの人と素直な人に分けようと言われても、平素から特徴が強く表れている人は分けやすいが、中間の人は、それぞれ素直な面も意地っぱりの面も両方備えている人が多く、その中でどちらが優勢か判断が難しいからです。

ただ筆跡の上ではその判断はかなりしやすくなります。強くひねった起筆部が目立って多い人と、ほとんどまっすぐで弱い起筆ばかりの人というのはすぐ分けられるでしょう。中間の人のどちら寄りかを判断する場合には、その人の筆跡に現れるひねり型とすなお型の起筆部分の分布（どちらが多く見られるか等）を調べればかなり客観的に出てくるはずです。そしてそこから、書いた人の行動傾向の一面が浮き出てくるはずです。

転折角型と転折丸型

転折部は本来「角張る」ところ。そこを丸く書く人は横断歩道も「丸く」渡る?!

起筆から送筆部に入ります。送筆は直線が主ですが、曲線もあり、また「口」の字の第二画

転折丸型

筆跡の特徴

角を丸く書く

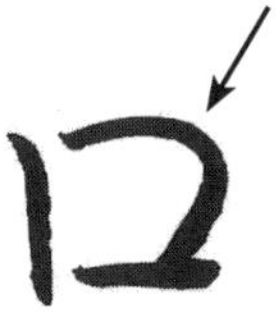

類型

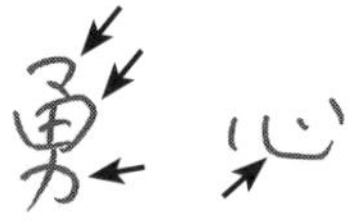

性格傾向

- 明るい
- 想像力やユーモアがある

転折角型

筆跡の特徴

角張る

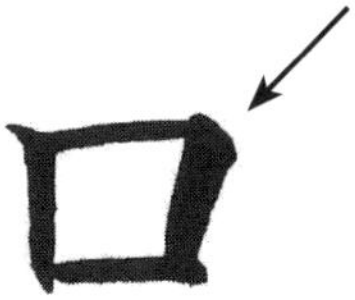

類型

性格傾向

- 几帳面
- ルール通り動く

のように途中で折れ曲がる部分が生じてくることもあります。この折れ曲がる部分のことを転折部と称し、角張って曲がるのを角型、丸く曲がるのを丸型といっています。

転折部は教育漢字ではここは角張って書く、ここは丸く書くと決まっているようですが、普通の手書き文字ではどちらであろうと問題にはなりません。しかしどちらかの書き方をするかで、書いた人の人間像がある程度推定されるものです。


まず転折角型。先の図の「口」「勇」の矢印部分は、活字や楷書の手本ではきちんと角張っているところです。つまりルールとしては角型のところです。「心」の場合は活字でも手本でも丸型となっているのですが、それを角張って書く人はよほど角が好きな人でしょう。転折角型の人は一般的にまじめ、几帳面、ルールに忠実です。横断歩道を渡る時もきちんと表示されたところを通るでしょう。ただ融通がききにくく、それが高ずると、角張る、角が立つ、角々しい、四角四面という印象になってきます。転折角型で自由奔放、面白おかしいという人は見かけません。

これに対し転折丸型は柔軟で変化自在。横断歩道は手前のほうから丸く渡ろうとする人かもしれません。人格円満、冗談が好き。想像力、アイデア力があり、話が面白い人でしょう。

筆跡傾向から見た警備保障の会社と出版社の違い

転折部と接筆部の組み合わせでルールへの忠実度と奔放度が増幅されます（接筆部については125頁）。「接筆閉・転折角」の人がガードマンなら細かい違反も見逃してくれないだろうし、「接筆開・転折丸」だと、まあいいだろうとなるかもしれません。職業としては、「接筆閉・転折角」は司法・金融・保安関係向き、「接筆開・転折丸」はマスコミ・出版関係、サービス業関係向きのようです。

この「接筆」と「転折」のあり方の関係は、組織の管理上、非常に重要な意味を持っています。ある大手の警備保障会社の社員の筆跡を見たことがありましたが、大部分が「接筆閉・転折角」でした。これは理想的なはずです。警備保障の会社の社員がものわかりがよく融通がきいていいはずはありません。

対照的な例ですが、倒産した出版社の再建に付随して十人ほどの従業員全員の筆跡を見たことがあります。全員が「接筆閉・転折角」の書き方ばかりだったのです。放漫経営だった可能性はゼロでしたから、全員がその筆跡では、まじめに努力していたのでしょうが、企画力とか改善の努力は期待できなかったはずです。一所懸命やってはいたのでしょうが、十年一日、同じやり方ばかり続けていたようでした。業種によっては、「接筆開・転折丸」の人材による発想も不可欠であるという好例です。

筆跡型の〝適材適所〟を実行すれば組織の人材配置も活きてきます

組織には「接筆閉・転折角」、「接筆開・転折丸」及びその中間の型の人材の適切な配置が必要だと私は考えます。「接筆開・転折丸」の比率が高くなればその組織は明らかに明るくなりますが、過ぎれば羽目が外れます。「接筆閉・転折角」が多くなれば堅実ですが暗くなります。

転折角型を目指す場合にはひらがなよりカタカナがよく、行書や草書より楷書を書くことをお勧めします。昔の軍隊では文書は全て楷書とカタカナのようでした。右向け右、前へ進め、全体止まれ、というような号令のもと、兵隊達は一糸乱れず行進していました。こうした規律維持には、日常楷書とカタカナで「接筆閉・転折角」の習慣をつけておくのが役立ったはずです。

面白いことに兵隊達は楷書でしたが、将軍となると草書混じりの書が多いのです。つまり「転折丸」です。将軍や参謀は硬直型の「接筆閉・転折角」では敵に対して作戦負けしてしまいます。柔軟な発想が必要なのです。

銀行員の場合もお堅く几帳面が良いようなのですが、それは一般行員で、これまで何人かの頭取の筆跡診断の経験がありましたが、すべて「接筆開・転折丸型」でした。

転折特殊角型

手間のかかる比較的珍しい書き癖。他の人には不思議にも映る独特のこだわりの反映か

あまり多くはないのですが、長年筆跡の仕事をしていると時々次の筆跡の特徴に挙げたような書き方に出会います。第二画の転折部分を普通のように一回折れ曲がるのではなく、行き過ぎて戻ったり二回折れたり、横線縦線を連続して書くのではなくはっきり一旦切って分けて書いたりするのです。

たまたま一字がこうだったというのではなく、同じ書き方が何度も出てくるのです。普通の書き方が混ざる場合もありますが、癖になっているようで、意識せずに同じ書き方がよく出て

筆跡の特徴

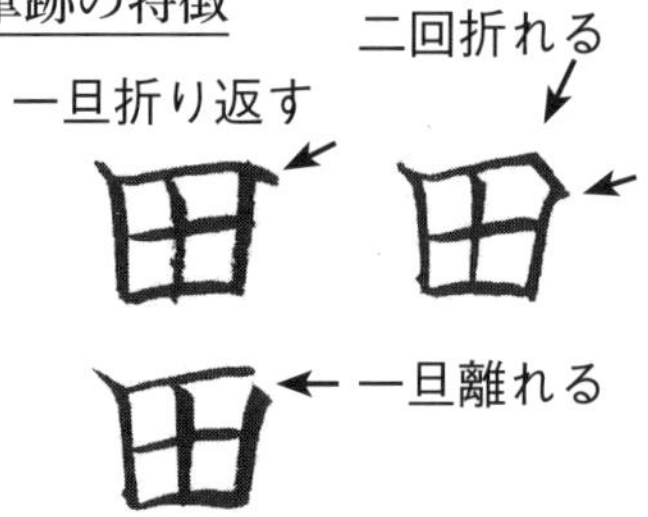

類型

性格傾向

- 日常行動に、他の人にない独特の持ち味がある

くるのです。

癖と言っても、この書き方はどれにしても普通よりは手間がかかります。それが一回二回ではなく、字の中に転折部の回数は多く、一生続けるとすると厖大な数になります。なんでそんな面倒なことをするのか？　やはり好きだからということなのでしょう。いろいろ考えてみたのですが、なかなか論理的理由にまで到らないのです。

ただ、この書き方の人は、筆跡以外でも他にもちょっとした固有の癖を持つことが多いようです。例えばお茶を出された時、茶碗を手に取って、すぐ口もとに運ばないで、一旦手もとにおいてすぐ持ち直してから口に運ぶのが毎回だった人がおり、不思議に思ったことがありましたが、こんなところだと思います。ともかく日常行動に、他の人にないこだわりとか独特の持ち味があるようです。

なお線の性質としての送筆部分には、他に線湾曲型、線結滞型、線ぶれ型、大弧型等がありますが、やや特殊性が強いため先に収筆部に入りましょう。

はね強型とはね弱型

良くも悪くもがんばり屋さんタイプと、失敗にもくよくよしないがあきらめも早いタイプ

収筆部とは、一本の線の中での終わりの部分です。筆の動きをどう収めるか、その形には「とめ」「はね」「はらい」の三種類がありますが、終わりの形をとらずに次の画に続く連綿線に移行する場合もあります。これは送筆からの延長になりますが、本来収筆部分でもありますから、収筆の一つの連綿型として後から説明します。

収筆形の中で一番多く見られるのは「とめ」ですが、ごく普通のあり方でこれといった特徴

はね弱型

筆跡の特徴

はね無しか、はねが弱い

類型

性格傾向

●軽快で手早いが無責任傾向

はね強型

筆跡の特徴

はねが強い

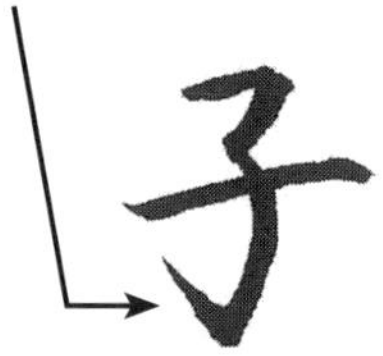

類型

性格傾向

●ねばり強く、がんばりがきく

●責任感に富む

となるものは見当たりません。とめずに書き流したりすると「はね」や「はらい」に近くなりますが、「はらい」の先端は「はね」の先端と同じ形になりますからこれらを一つとして捉えると、考察すべき収筆部の形は「はね」に集約されることになります。そのような理由から収筆部は「はね」に焦点をあてながら、必要に応じて他の形についても言及することとしましょう。

王羲之と並び称される書家、顔真卿《がんしんけい》のはねの特徴は？

最初はこんな強い「はね」の例もあるというところから入りましょう。次頁の「方」の字は中国唐代の忠臣顔真卿の書の中の一字です。第二画横線の「とめ」も強いが、その次の画のはねは、ふつうなら一、二ではねるところ二、三、四と四段階まで続いた「はね」になっています。各段階ごとに改めて力が入っているのです。

とめも強い

顔真卿「建中告身帖」（清雅堂）より

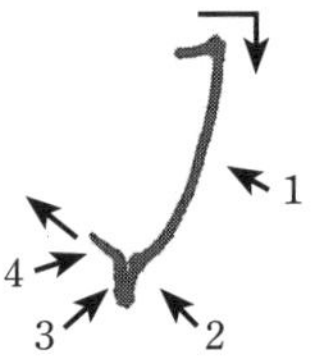

運筆の順序

顔真卿は唐の玄宗皇帝が楊貴妃との愛に溺れ安禄山が反乱を起こし、あわや国が滅亡となりかかった頃、孤軍奮闘、ついに勝利を呼び込んだ将軍です。顔真卿は剛直無比、信念を貫くことでは中国史上最高とされた人でした。その代表的な楷書「建中告信帖」には至る所にこの「方」の字のようなはねが目につきます。ここですっと書き流してはねのない書き方をする人もいます。あきらめ型とか無責任型です。普通のはねは一応責任を取ろうということでしょう。それに対し、顔真卿の四段構えのはねは何が何でもやり通そうとする気迫、信念が感じられます。

それでは次に、はね弱型という書き方の特徴について述べましょう。

「課長」と「部長」のはね型

一九八〇年代、景気が非常に良かった頃、筆跡診断の依頼を受けて商社の支店を訪問したことがありました。大きな一室に、何十人かの社員が思い思いの姿勢で自分の席に向かっていました。私は部長席の横に行き、前の課長席らしきところの男性に目を奪われました。彼は電話の受話器を耳と肩の間にはさみ、しゃべりながら右手で何かメモし、左手はちょうど横に来て立っている若い社員に、何か指示するように指差しているのでした。まさに〝超忙しい〟状況に驚いたことがあります。

この課長の筆跡がとめなし、はね弱型の筆跡でした。その職場での忙しさを見れば当然のようにも思えました。同時に二つ以上の仕事をこなさないといけないような日常。「はね」や「と

はね弱型の例

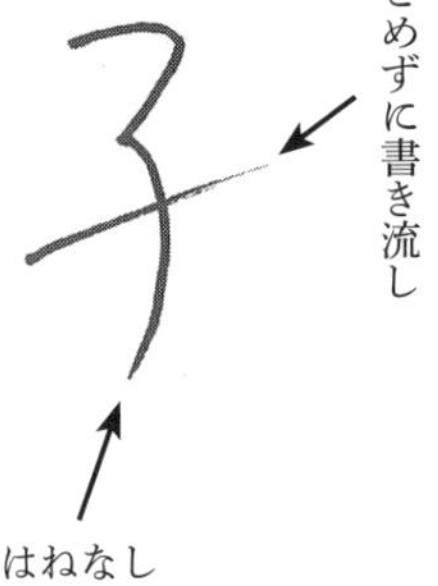

め」の寸刻も惜しいはずです。しかも部長によると、この課長はすごく優秀だが、どの課長も仕事の状態はこんなものとのことでした。

一般社員から部長までの筆跡をチェックしたところ、数人の課長が全員はね弱型だったのには目を見張りました。さらに意外に思ったのは、部長二名がはね強型だったことです。

普通、部長は課長から昇進します。現在の部長もそうだったとしたら、課長時代の筆跡はどうだったのだろうか？と疑問が湧きました。超多忙の日常をテキパキこなす有能な課長がはね弱型はわかります。そしてその上の部長職の場合、一転して落着いて部下の落度に目を光らせ責任は自分で被る立場にあってはね強型。これもわかります。

しかしはね弱型で有能だったが故に部長に昇進した人が、部長になってからはね強型に変わったのか、あるいは部長は外部から持ってきたのか……実際にはどうだったのかそこまでは聞いていなかったのでわかりませんが、その後筆跡が劇的に変わり得ることにも何度か接し、私としてははね弱型の有能な課長が昇進して部長になり、そこではね強型に変化して有能な部長になったのではないか、と考えました。筆跡も立場に応じて変化し、仕事も実地に即応してこなしていける者が出世の機会をつかんでいく、ということなのでしょう。

なお、「はね」はあるけれども、強いとも弱いともいえないとか、たまに強い「はね」があるがない時もあるなど、はね強型及びはね弱型の中間にはいろいろのタイプがあります。人間とは単純なものではないからです。その人がどういう人柄かについては、はね強、はね弱の要素がその人の筆跡の中でどのように分布しているかをすり合わせてみながら判断すればよいわけです。

例えばとめなし、はねなしが大部分の人でも、文章の句切りとか、重要事項を示す字にはしっかりした強い「はね」が含まれていれば、重要でないことは適当にやったりするが、肝心なことはきちんと最後までやり、テキパキと仕事をこなし、責任感も強い人柄となります。非常に優秀な人物である可能性も高いでしょう。

はね強型

（長所）がんばりがきく、ねばり強い、しぶとい、責任感が強い、困難克服力に富む、重厚……等

（短所）すばやさに欠ける、しつこい、重い、あきらめが悪い……等

はね弱型

（長所）軽快、手早い、変り身が早い、くよくよしない……等

（短所）あきらめが早い。無責任、やりっぱなし、迫力がない……等

「はねが次の線へどうつながるか」を見る型を「連綿型」と呼ぶことにします

「連綿線」という言葉は、聞きなれない方もいらっしゃるかもしれませんが、「連綿と続く○○」という表現は耳にしたことはあると思います。「綿」が糸になるのにその繊維が紡がれて長く長くなっていくように、楷書だと一本一本独立している線が、早く書こうとするあまりつい続け字になってしまったり、あるいは初めからその続け字での書き方を許容したりして生じるいろいろの書き方を言います。

ここで解説する連綿に関する語句の説明と、連綿と紛らわしい書き方について最初に一括して区別しておきましょう。

非連綿……連綿線が全くないもの。つまり楷書です。

連綿……連綿の中には形連と意連があります。

形連はある画と次の画が連続して書かれて実線でつながっている形です。

これに対し意連は、運筆自体は形連と同じ流れを踏襲しているのですが、宙を浮きながら進む筆の動きがあるため、線が細くなって途中で切れ、実線としては連続していないものです。しかし、気持ちの上ではつながっているとして意連と言うのです。

連綿部分……楷書だとA画とB画の二本が離れているところが行書でつながった場合、A画、B画に相当する部分を実線部分、つながった部分を連綿部分と言います。

細連綿………連綿部分は実線部分に比べて少し細いのが普通ですが、糸のように細くつながる線のことを言います。先端だけ細いというのでなく、ある程度以上の長さが必要です。

強連綿………細連綿とは反対に、連綿部分が実線部分と全く変らない太さで書かれたのが強連綿です。

ひっかけ線…小さな意連の場合、連綿線が「はね」のようにも見えます。しかし方向は次の画の起筆部へ向っているので連綿部分だとわかります。
しかし、ごく珍しいタイプではありますが、横書きの線の収筆部を、次の画があろうがなかろうが常に同じ角度、同じ大きさではねて書く人がいます。これを「ひっかけ線」と称して、「連綿」とはまた別なものとしています。

細連綿と強連綿はすぐ区別がつきますが、連綿と細連綿、あるいは連綿と強連綿は区別がつきにくい時もあります。細い、太いと言ってもそれぞれの中に幅があり、普通の場合と紛らわしくなったりもします。また、連綿と非連綿にしても、その中間に連綿でも非連綿でもないという幅があり、しかもその幅はかなり広いと言ってよいでしょう。

筆跡特徴では、型と称する場合、誰が見てもその通りと見えるような代表的なあり方を型として取り上げるのが好ましいと思えます。

非連綿型と連綿型

「ドライな現代風」タイプと「人情気質の江戸時代風」タイプ

前項で「連綿」でも「非連綿」でもない中間の幅があることを述べましたが、具体的には次のような理由によります。

206頁の図でイが非連綿型、ハが連綿型というのはわかりやすいでしょう。ロの矢印の部分も、はねを書こうとしたため生じたものではなく、運筆が次の画に続こうとした結果のものなので連綿線（意連）とは言えます。しかし、ハのように連綿のスタイルで書こうとしたものではなく、イのスタイルで書くつもりが急いだために生じたものとすると、その人の書き方を連綿型

連綿型

筆跡の特徴

行・草書型、線と線がつながり、画数を数えられない

類型

性格傾向

- ウェット型、アナログ型の気質、情緒性に富む

非連綿型

筆跡の特徴

一本一本の線の、始めと終わりがはっきり独立した楷書型

類型

性格傾向

- ドライでデジタル気質
- 現代っ子型
- 若い人に多い

と決めつけるべきではなく、また、実際に連綿線はあるのですから、非連綿型とするわけにもいかないのです。つまり中間型になります。

では、イの非連綿型で書くような型ができている人と、ハの連綿型を書こうとする人との深層心理の違いについて考えてみましょう。

イの非連綿型の書き方になる第一の理由は、現在の小学校では、一年から六年まで、書き方の指導は全て楷書ばかりで行書は教えないことになっているからです。行書、つまり連綿が生じる書き方を習うのは中学からですが、最近学校での書道教育がすっかり軽視されていることもあってか、行書と楷書を区分して書くことをしない、というより両方の書き方があることを知らない人が多くなっているようなのです。

イ（非連綿型）

ロ（中間型）

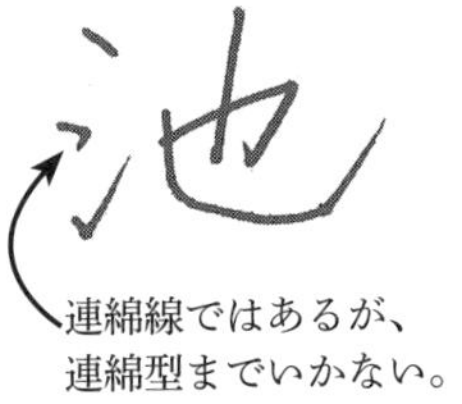

ハ（連綿型）

しかし、教わらなくても、イの書き方から早く書こうとすると自然にロの連綿線が生じます。その状態が続き、他の人の書いたハの連綿線の字を目にしていつの間にか馴染んで自分も書くことが多くなると、その人の書き方は連綿型ということになるのです。

急いで書いてもロ、すなわち中間型にはならず非連綿のまま留まるとすると、一字の中にいくつかの線があり、ある文章を書くとなると数え切れないほど沢山の線を書く、それを一本一本区切りながら書くという行動の型ができます。そしてその区切りの型が身につくと、そのリズムは字を書く以外の他の行動にも強く影響するはずです。音楽でいえばジャズ派でしょう。無数の区切りの体制の上に成り立っているのでデジタル型の気質にもなりそうです。割り切るのが好き。話す言葉でも、区切りを強調して発音することが多くなりそうです。

一方、連綿型の書き方の人は連綿性が体質に合うわけでアナログ型。音楽ではクラシックとか演歌を好む傾向があるようです。情緒、伝統に魅かれて人情味があるのが連綿型。これに対し、非連綿型は割り切っていてドライ。伝統よりは現代風、田園型より都市型を好むでしょう。もちろん、完全に区別されるわけではなく、伝統は重んじるが、田園より都会が好きだという人もいて当然だと思います。

江戸時代の人達は、時代劇などによく出てくるように、当時の立札に書かれているのは草書、変体がな混じりの続け字ばかりで、皆が日常連綿形の字を書いていたものです。当時は落語、演劇などでも人情ものが流行ったようで、当近のアクションものとかハードボイルド風潮と比べると納得がいく気がします。

細連綿型と強連綿型

繊細で高い芸術性を感じさせる細連綿型に対し、強連綿型は書き手の強い意志が滲み出る型。歴史上の人物では「細」の例が紀貫之、「強」は大石内蔵助や織田信長の書に典型の表情あり

非常にか細い線が長く続くのを細連綿、連綿部分の線が実線部分と全く同じ太さで強い筆圧で書かれて見える書き方が強連綿です。細連綿と強連綿の中間にあるのが普通の連綿なので、細連綿も強連綿も、連綿の持っている要素が強調されたものとしてよいでしょう。

細連綿は古典がな作品によく現れ、非常に高い芸術性を持っています。細い線は筆の先端が接するか接しないかくらいわずかに触れているだけで、それで二字、三字と途切れずに長く続くのは繊細さとともに強い集中力を要するはずです。ただ、細い連綿線の数は多くても、長さがあまり長くないのはデリケートさが強く、いろいろの方面にその感性が出そうですが、集中

強連綿型

筆跡の特徴

連綿線も実線と同じ太さで強く書かれる

類型

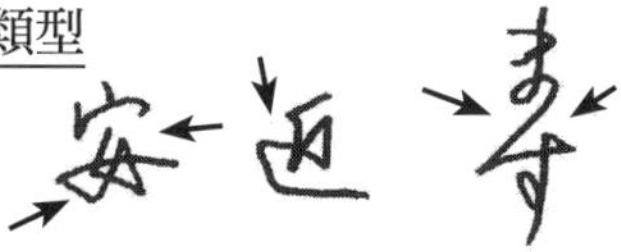

性格傾向

- 自信家型
- 集中力に優れる

細連綿型

筆跡の特徴

デリケートな細い連綿線が多い

類型

性格傾向

- 神経デリケート型
- 優美志向傾向

力には関係ないでしょう。

　強連綿は強い意志と自信と集中力が中心です。本来は字の一部とはならない連綿部分まで実線部と同じ太さで押し通すのには意志プラス自信が必要でしょう。かつそれが一字にとどまらず、二字、三字と連続することには集中力の持続が大きな要素と思われます。

　歴史上の人物の筆跡の中で代表的な例は大石良雄（内蔵助）、織田信長でしょう。それぞれ実線部分でない線まで構わず押し通します。断乎とした意志がさせるものでしょう。内蔵助が主君の仇討を決意してから一年半余、ついに念願成就できたのには集中力の持続によるはずで

細連綿

伝紀貫之「寸松庵色紙」より一部〈をのへに〉
五島美術館所蔵

強連綿

大石良雄　討ち入り一ヶ月前書状〈明日中川〉

す。織田信長が「死ぬは一定」と舞を舞って桶狭間へ向かったその道のりも、私には強連綿線の持続に他ならなかったと思われます。

ひっかけ型

横線の終わりに出る本来は不必要な書き癖。やや神経質の傾向ありか

連綿や筆順に関係なく、ほとんど全ての横線の収筆部に一定方向、一定の長さのはねの形を作る人がいます。正式の「はね」でもないので間違わないようひっかけ型と称しています。

連綿でもないのに生じるのは一つの癖です。そしてその癖がほとんど全ての横線に見られるとすると病的で神経症といえそうです。そこまでいかなくとも不必要なひっかけが多い場合には神経質傾向のようです。ただ単なる小さな連綿も似た形になりがちですので、連綿をひっかけ型ととらえると書いた人の人間像に間違った判定をすることになりますので要注意です。

線湾曲型

筆跡の特徴

収筆部できちんと止まらず小さくひっかけるような線が数多く出る

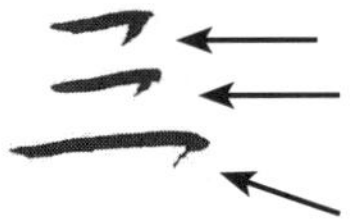

類型

性格傾向

- 神経質型
- 物事にこだわる傾向がある

なぜ縦線を湾曲させるのか？　理由は不明ながら、傾向としては技巧派に属す

長い縦線あるいは横線を強く湾曲させて書く癖の人が時折います。なぜそのような癖がついたものかまだわかってはいません。しかし直線で書くのが普通のところを湾曲させて書く書き方が筆跡として身についているということは、無意識下の行動管理機能がそう書かせているわ

筆跡の特徴

長い縦線の湾曲が激しい

類型

性格傾向

● 技巧派、アイデア力あり、個性的であることを好む

けで、その機能は字を書く以外の他の行動にも影響していると考えられます。他の行動にはどのような表れ方をするのか不明ですが、普通の行動を一味変えたあり方に変化させる可能性が考えられ、何事につけ、単純型ではなく技巧派ではないかと推定されます。

大弧型

勢いのある大きな弧は大物のしるし?!
「豊臣秀吉」「松下幸之助」らが好んだと知れば……納得

筆跡の特徴

大きな円弧を描く傾向

類型

性格傾向

- 大物型で天下を取る相
- ただしなめらかに勢いよく書けていること

突然大きな弧が出てくる書き方です。豊臣秀吉の手紙の筆跡にあり、「太閤型」といったりもします。松下幸之助の署名にも常用されていて、「流石！　なるほど！」とうならされます。

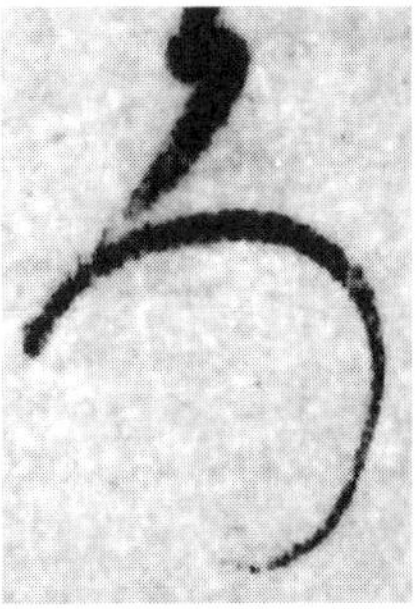

豊臣秀吉
「自筆消息」より

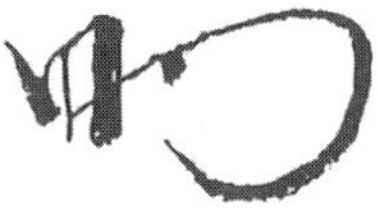

松下幸之助〈助〉
自署サインより

日本でもっとも早い時期に女性筆跡診断士となった方の筆跡を紹介しましょう。

筆跡でバラ色の人生を!

バラ色の色の字に大弧型の特徴が見られます。彼女は、テレビ・雑誌等で活躍し、多くの弟子をかかえる筆跡診断士になっていますが、二十年前はまことにおとなしく目立たない存在でした。彼女の書く字はいつも小さく、几帳面に書かれていました。小学生時代の彼女のあだ名は「壁の花」だったそうです。学芸会などでも舞台の中央で演技することなど一度もなく、いつも壁際に立っている役ばかりだったからだそうです。

その彼女が筆跡の勉強をし、いつしか書き方ががらっと変わってしまいました。字が大きくなり、とくにカーブを大弧型に書くのが目立つようになりました。松下幸之助氏や橋本龍太郎元首相の字に感銘を受けたのかもしれません。飲み会の席でもいつ頃からか中心人物になり、当時流行った言い方を借りると、〝パーティークィーン〟と呼ばれるくらいに変貌しました。

字のあり方、人の行動のあり方、深い関係があると思わざるを得ない実例だと思います。

線結滞型

作家・有吉佐和子さんの晩年にも見られた特異な形

線にぶれとか途中ストップの跡が生じている書き方です。通常の運筆中突然ペンが一時停止したり、動きにぶれが生じたりすることは手の筋肉に何らかの力が加わったわけで、それが意識によらないものとすると、例えば不整脈等、定期的な脈搏に異常が生じるのと同じような作用の結果に見えます。

つまり運筆中の線に結滞とかぶれが生じるのは心理的理由からではなく、肉体的要因のためと考えられます。中にはくしゃみとかしゃっくり等原因が明確なものもあるでしょうが、心当

筆跡の特徴

線のぶれとか、途中ストップのところがある

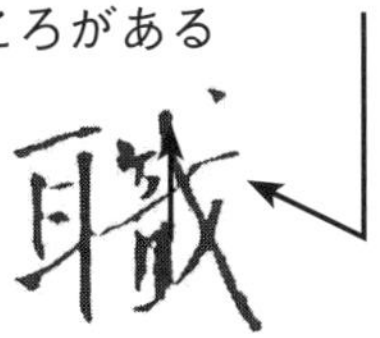

類型

性格傾向

- 気力、体力に弱りがある
- 不整脈傾向

たりがない場合には健康診断など受けておかれるとよいでしょう。

『紀ノ川』や『恍惚の人』で有名な作家有吉佐和子氏が急逝されたのは昭和五十九年のことでした。その年の五月か六月頃、ビジネスマン向けの雑誌「致知」から筆跡に関する原稿の依頼があり、編集者が掲載紙見本を持って来られたが、その中に有吉氏直筆の、ある図書の推選文が載っていました。何気なくその筆跡に目を通したのですが、その短い文章の中に、線の結滞あるいは頓挫といえる部分が二ヶ所も目につきました。

「有吉さんは健康面ではお元気な方でしょうか？」

「この前お会いしたがお元気でしたよ」

本を持って来られた編集者の方とそんな言葉を交わしたことを覚えていますが、その時私は有吉さんの筆跡の「び」と「の」の字の結滞部分を見て覚えた懸念も伝えました。それはこの結滞と心臓との関係です。もともと心臓が動くのは、心臓の上部にある洞結節という器官が規則的に電流を発生し、その電気刺激で心臓の筋肉が収縮することによって血液が押し出されるからです。これが規則的に繰り返され、鼓動とか脈搏という現象が生じるわけですが、この電流の発生に異常が生じると脈搏にも異常を生じ、そのショックが指先にも影響するのかもしれません。

脈搏の異常は不整脈といわれており、とくに病気とはいえない軽い不整脈も多いようですが、筆跡に影響が現れるくらいになると重症化の危険性を考えたほうがよいように思います。

「恍惚の人」を書いた後、精神力が弱く、人びんぼうをしない人は決して惚けないということを私は知った。なんとかそれを人々に知らせたいと願っているとき天のよこす本が私の手に落ちてきた。素晴らしい本だ。

有吉佐和子さん筆跡

歴史と筆跡学

筆跡研究が歴史の理解を豊かにする理由

文字や筆跡の研究という仕事は、古生物学や人類学における化石の研究や、考古学における遺跡の研究などに似ているところがあるようです。

古生物学を例にとるなら、研究者はいまは化石となったその生物が生きていた頃はいつの時代か、外観はどうだったか、どんな生態であったか、等を様々な知見を基に推測し、ある程度の想像も加えながら、かつて実際に生存していた生物の姿を描き出していくわけですが、古い石碑に刻まれた文字の解読などの場合も、同じような手順を踏みながら、その文字の謎を解明するという研究が行われてきました。

中でも有名な事例の一つに、ロゼッタ・ストーンと呼ばれる石碑があります。これは一七九九年にナポレオンがエジプト遠征をした際に、ナイル川河口のロゼッタ町で発見した石碑であるところからこう呼ばれているのですが、この石碑には三つの異なる文字が刻まれていました。三つの文字とは、古代エジプト文字のヒエログリフ（聖刻文字）、デモティック（古代民衆文字）、そして、ギリシャ文字です。後の研究によって、この異なる三つの文字で書かれた文章はいずれも古代エジプト王への賛辞を表した内容であることが明らかになっていったのですが、この解読は、古代エジプトの歴史を明らかにする端緒ともなったことはみなさんもご存知の通りです。

時を経て解読不能になってしまっていたエジプト文字も、ロゼッタ・ストーンに同じ内容のギリシャ文字が併記されていたことから、解読の糸口が見つかったといわれています。ついで各語の語彙がわかったことにより、それまで解読できなかった多くの記録も読めるようになったのです。その意味では、エジプト文字で記されている様々な記録の内容を現代の私たちが知ることができるのは、筆跡の化石ともいえるロゼッタ・ストーンのおかげ、ともいえるのです。

本書の「はじめに」の中で私は筆跡の効用あるいは価値について次の三項目を挙げました。

コラム❶

一　言葉に替わる意思伝達手段
二　芸術作品としての価値
三　筆跡が表す書いた人の人間性

このうち一の効果が衝撃的だったのがロゼッタ・ストーンです。国宝に指定されるような書の作品などは、二の側面が評価されたものでしょう。ところが、三については、これまでのきちんとした研究は、皆無だったといえるのではないでしょうか。

ロゼッタ・ストーン。高さ１１４・４㎝、重さ７６０㎏の石碑。イギリスのロンドンにある大英博物館に収蔵されており、展示品の中でも人気が高い。解読に貢献したとされているのが、イギリスの物理学者、トマス・ヤングと、フランスの古代エジプト学の研究者である、ジャン＝フランソワ・シャンポリオン

古生物学者は化石からさまざまの研究をします。足跡の化石に至るまで大切に保管して、生息時代の体格から生活状態などを推定するわけですが、筆跡は足跡の化石以上に、多くの情報を含んだ解析資料の宝庫のようなものではないでしょうか。筆跡は単に手の癖で書き進まれているものではなく、そのペン先の筆路を常に目が追っています。間違ったあり方になればそこでストップし、消しゴムで消し、改めて書き進めます。つまり筆跡は〝脳跡〟でもあります。筆跡は書く人の脳が許容し、推し進める行動のあり方でもあるのです。つまりその人の人間性が表れているものです。

歴史は人間の行動の記録でもあります。中国の歴史書の白眉とも言うべき司馬遷の史記でも、その構成は本記、世家、列伝等各個人の行動内容が中心です。近代歴史学の祖といわれるドイツの歴史学者ランケにしても、その記述はほぼ個人の行動の客観的記録に基づ

こうとするものと思います。

太陽系の歴史、地球史、富士山の歴史……いろいろな歴史があるでしょうが、日本史であれ西洋史であれ、人間の歴史には各時代を動かしてきた人物の行動の記述が絶対的に必要なのではないでしょうか。そして科学が発達すれば、その行動の側面証拠である筆跡にかかわる記録も大切となります。筆跡に表れた行動傾向が、その人物の歴史上キーポイントとなった行動の理解につながると思われるのです。

果たして本物か？
聖徳太子の筆跡特徴を検証！

聖徳太子（五七四〜六二二年）は第三十一代用明天皇の皇子。今から千四百年近く前の人物ですが、現代でも千円札や一万円札に肖像画が印刷されていた時代が長かったこともあり、聖徳太子と言えばお金の代名詞のように思われてきた有名人物です。

その聖徳太子は叔母が女性の推古天皇。その皇太子・摂政として長らく政治の中枢にいました。第二章「横線左方長突出」の項でも述べたように、その時代に冠位十二階を定め、憲法十七条を制定、遣隋使を派遣等の日本に国家としての体裁を初めて整えるような業績を残されました。遣隋使が持参した国書の冒頭の言葉「日出ずる処の天子、書を日没する処の天子に致す」が、それまで倭国と呼ばれていたわが国が正式国名として「日本」と称するようになった語源のようなものなのです。

聖徳太子はまた仏教に信心すること篤く、法隆寺は六〇七年、太子の開基創建と伝えられます。そして六一五年には自筆で『法華義疏（四巻）』を著されました。この本は中国渡来の経文の解説書で、草稿本が現在も皇室御物として保管されています。歴史上、著名な人物の肉筆筆跡をして現存しているものとしては世界でも最古のもののようです。

ただ、古事記や万葉集よりも前の時代のものだけにこの法華義疏草稿が果して聖徳太子直筆のものかどうか異論を出す人もいます。それはこの法華義疏の冒頭内題の下に「此れは是の大倭国の上宮王（聖徳太子の

コラム❶

こと）の私の集なり。海の彼の本に非ず」としてあり、そのただし書きの筆跡が百年も後のものなので、疑う人もいたようなのです。

しかしこのような大著が、まだ文字が一般に普及していなかった当時として、学識がずば抜けていたとされる聖徳太子以外に書けるはずもなく、また、本書の処々に削字、貼紙、継紙などがあって、推敲訂正の跡が見られることからも、太子自筆の草稿本であることは間違いないとされているようです。

そしてそれを裏付けようとするならば、法華義疏の筆跡にも表れている運筆の傾向を分析し、書いた人の人間像を描き出して、伝えられてきた太子の人間像と比較することが、今後の歴史学の科学的考察に役立つはずだと思うのです。

七つの特徴から見えてくる聖徳太子像

試みに法華義疏冒頭二行の上部の筆跡を取り上げ、主要筆跡特徴をチェックしてみることとします。

七つの筆跡特徴を挙げました。これらについては第二章で解説しましたが、ここで改めてそのポイントを付記し、ついで目立つ特徴順に内容に立ち入ってみたいと思います。

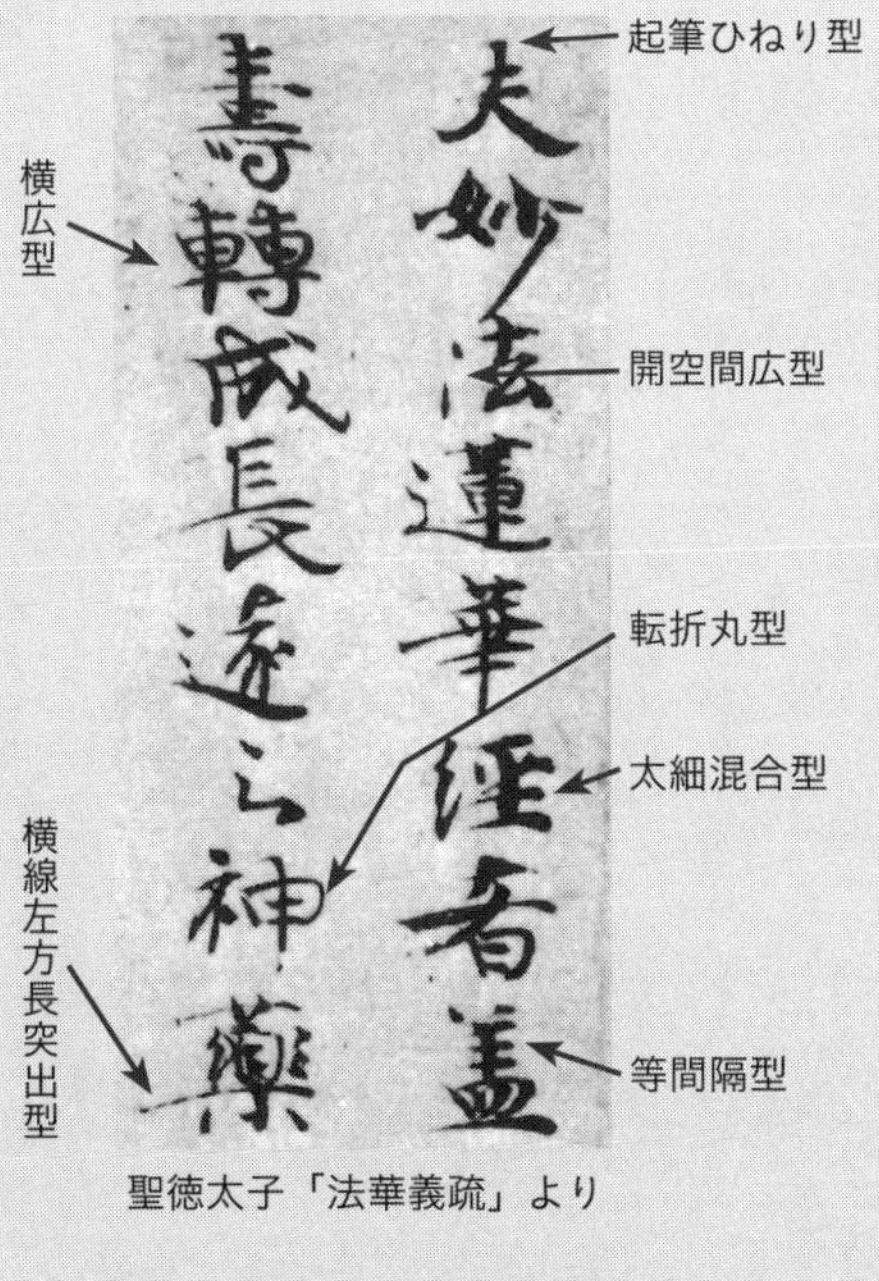

聖徳太子「法華義疏」より

起筆ひねり型……自分なりの考え方を持つ
開空間広型……包容力あり
太細混合型……章法での大字型小字型の混合に類似
変化を好み平凡では満足できない

等間隔型……理論的で器用
横広型……行動力に富む
転折丸型……アイデア力、想像力あり
横線左方長突出型……才気煥発

これらの簡単な特徴の列記だけからでも歴史書に伝えられる太子の人間像の一端を感じられるのではないでしょうか。

聖徳太子の文字に頻出する「横線左方長突出型」

特徴として最も目立つのは横線左方長突出型です。「薬」の字のこの線の長さは第一章で紹介しました。初めて見る人は誰しも目を丸くします。この字だけではなく、「華」の字にその特徴がよく出ていますが、「者」の字、聖徳太子の筆跡には横線左方長突出型がやたらに多いのです。

普通の書き方を何故ぐんと左のほうへ起筆を打ち込むのか、「華」の字にその特徴がよく出ていますが、長い横線左方の先端がすっと入るのでなく、ピンポイントを強くはっきりと打ち込んだ形なのです。この起筆部には、ここからという強い意思表示が感じられます。「薬」の字にしても、長い横線の先端に、ごく小さいが厳しい打ち込み点が見えます。

横線の左方先端は、左ばらいのように勢いよくはらう収筆とは違って、そこが出発点なので、本体から離れていればいるほどそこへ持っていくのにエネルギーを要します。なんとなくそこまで伸びたというよりも、ほとばしり出た感じといえるでしょう。

聖徳太子は日本書紀に、生まれた直後から言葉を発し、聖の智があったと述べられているそうです。オーバーな表現でしょうが、この常人離れした長く鋭い起筆部分には神童の伝説が出てもおかしくないと思われます。

ついで起筆ひねり型と転折丸型。

起筆部には前掲「華」や「薬」の字の横線左端のほかに、「夫」の字など縦線頭部の起筆もあります。そして中央縦線頭部は字全体の頂点で、とくにここでの「夫」や「壽」の字は縦書きの行の一番上に当たり、

コラム❶

その中央縦線頭部は、一字だけでなく行全体を率いていく役割も持っているわけです。

その縦線頭部のあり方が、単にまっすぐすっと入っているのか。まっすぐだが、「華」の字横線左端のような力の入った打ち込みなのか。あるいはこの「夫」「壽」の字のようなひねりの強い字なのか。書き方によって異なる書く人の心のあり方を推定してみましょう。

人間の行動で、人の先頭に立って何かをしようとする時はそれぞれ何らか意識していることが多いものです。とくに何も意識せず、ふだん通りに行動するという人、これもいるでしょう。その人はおそらく縦線頭部の突き出しは短め、素直でまっすぐ、そんな書き方と思われます。先頭に立つという自覚とか心構えなどあまり関心がないと思われます。

一方、行の一番上の字での中央縦線頭部の起筆、これをまっすぐだが強く打ち込む人は、リーダーとしての行動においても、心構えがきちんとしているでしょう。そしてその縦線頭部突出度が長めであればリーダーシップも強いようです。

この聖徳太子の頭部の起筆は、「夫」の字では打ち込みも強いひねりがあり、「壽」の字ではひねりが強いようです。その他「神」の字なども見ると、太子は頭部起筆ひねり型の傾向のようです。

まっすぐではなく、ひねって入るということは、自分なりの考え方を持ち、固有の行動をしようというのに通じそうです。「夫」「壽」「轉」「神」等、随所にひねりが見られるのは、字だけではなく他の行動においても独自性を強く出したい性格のはずです。

聖徳太子が隋の煬帝に「日出ずる処の天子……」と国書を送った背景には、この太子の頭部起筆ひねり型の性格があったためではないでしょうか。

さらに転折部分が角張らずに丸くなることの多い書き方。この転折丸型がルールに縛られず、柔軟で想像力、アイデア力に富む行動傾向を意味することを第二章で述べました。太子の「日出ずる処、日没する処」の言葉は、それまでの対中国の姿勢に捉われない新しい発想で、さらに「和を以って貴しと為す」から始まる憲法十七条にも、転折丸型の柔軟な姿勢がうかがわれます。

こうした八面六臂の活躍は行動力を表す横広型。開空間広型は、仏教や儒教の教えを取り入れた心の広さ等々も含め、これまでの歴史に残された聖徳太子に関する記述と、太子の自著に表れ現在も明瞭に残されているその筆跡特徴が見事に一致しているのです。これまで古墳や遺跡の発掘から古代史の考証が熱心にされてきていますが、筆跡の分析からの考証ももっと熱心に取り組むべきではないかと考えます。

戦前の陸軍幹部の書に想う

横線左方長突出型の人は歴史に光芒を投げかけているケースがよくあります。聖徳太子の項からは時代がぐんと下って、昭和の太平洋戦争終戦後、東京裁判で七名のA級戦犯が処刑されました。

戦犯という言葉が適切なものであるかどうか、戦勝国の主張にねじ曲げられたとして東京裁判自体がその後非難されているのですが、この戦犯七名のうち、実に四名が強い横線左方長突出型の筆跡特徴の持ち主

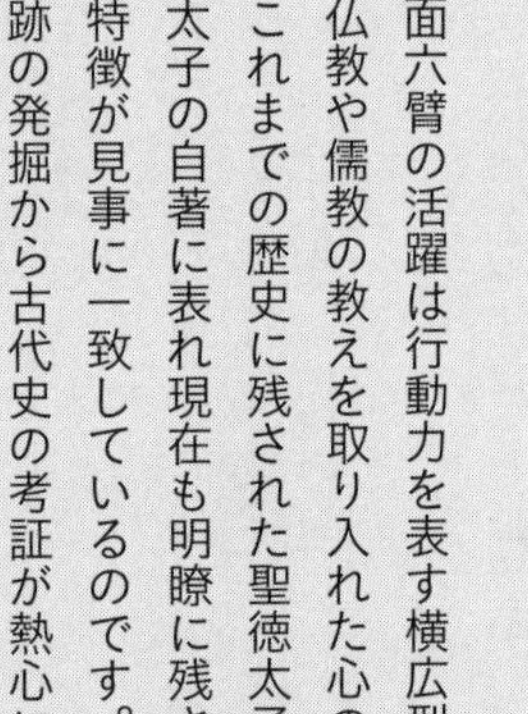

東条英機（六四歳）
陸大卒　対英米開戦時の首相。陸軍次官当時は「かみそり東条」の異名

板垣征四郎（六四歳）
陸大卒　陸軍大将。陸軍大臣。満州国建国の立役者

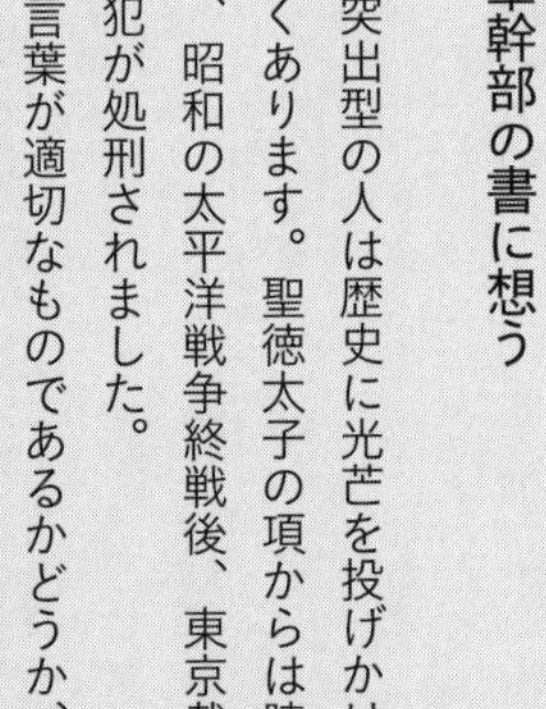

木村兵太郎（六一歳）
陸大卒　陸軍大将。東条首相の腹心。ビルマ方面軍司令官

武藤章（五七歳）
陸大卒　陸軍中将。比島防衛軍参謀長。東条派主要メンバー

コラム❶

だったのです。

その四名の方の署名の中の一字をご紹介しましょう。いずれも毛筆書き、達筆です。才気がほとばしっているという印象を受ける人が多いのではないかと思います。全員陸軍の主脳部。戦前は陸軍閥が日本を動かしていたとも言われていますが、この筆跡からは錚々たる論の集団だったのではないかと思われます。

日本は幕末、黒船来航以降、明治維新、日清・日露戦争等未曾有の困難を乗り越えてきましたが、その決定的時点に深くかかわったのは西郷隆盛や大山巌、東郷平八郎等茫洋型の人物でした。太平洋戦争前夜において才気型の幹部達の中に茫洋型も混ざっていたら……という感慨も湧いたりします。

太平洋戦争はいずれ詳しい歴史考証がなされるでしょうが、その折には筆跡資料の研究等も十分に参考にしてもらいたいと願うものです。

手本通りに書く臨書は、格より相性がモノを言う？

私は長年相藝会書道教育学院と日本筆跡診断士協会の責任者を務めてきました。そんな事から、平成四年にふと思いついて、歴史上有名人物の筆跡の中から一字選び出し、それを臨書して成績を争うというコンクールを毎月一回催すことにしました。それがもう三十年近く続いています。すでに三百回以上になっているのですが、重複して取り上げた人物も多く、調べたところ、平成二十二年時点で人物総数は八十二名でした。

毎回成績順に横綱・大関・関脇・小結・前頭と分け、作品内容から優勝・準優勝・殊勲賞・技能賞・敢闘賞と賞を与えています。私の審査・採点です。

採点基準は原本にどれだけよく似ているかが中心です。とくに形臨（形がどれだけそっくりか）を重視しています。書道出身者は線質にこだわることが多いのですが、形を軽視すると線質そのものも我流になってしまいます。例えば鑑真和上の「大」の字を書いて、線に力があり、左ばらい右ばらいが見事に書かれていても、中央縦線の上への突出が短めであれば、鑑真和上の心を学び取ったとはいえません。ポイントを外して別の字を書いているだけです。

臨書で大切なのはまず精密に形をそっくりにしようと努力することです。手本がなぜその形になっているのか、自分が書こうとしてうまくいかないのはなぜなのか、これを書いた歴史上の人物はそれをすらすら書いている。自分とどのような構造の違いがあるのだろうか？――そういう事に思いをいたすと、たとえ運筆はぎこちなかったとしても、その対象とした歴史上の人物の心底のほどが理解されてくるものです。

筆跡心理学ではなく書道を学ぼうとする人にとっても、形臨は最も大事なことです。唐の太宗が語ったという有名な言葉「吾、古人の書を学ぶに、殊にその形勢を学ばず、ただその骨力を求む。而して形勢は自ら生ず」というのがあります。ここで太宗は皇帝であり、武力、政治力、書の力量にも秀出た、中国歴代でも第一級の君主でした。「ただその骨力を求む」と言っても異議をさしはさむ者なく、むしろ尊敬されたことでしょう。しかし生半可なレベルな人が言ったとすれば、思い上がりとして軽蔑されることになりそうです。正攻法としてはまず基本から学ぶべきはずです。

歴史上の人物のこの一字は、日本の歴史を中心に多くの人を網羅してきました。聖徳太子を始めとして、光明皇后、空海、最澄、頼朝、義経、楠木正成から信長、秀吉、家康、明治維新の西郷隆盛、大久保利通、坂本竜馬から新撰組、清水次郎長等々。

それぞれの臨書番付でトップを取るのは書道を専門にやってきた人が多いのかというとそうでもないのです。参加者に書道師範の資質を持った人は多く、中には日展入選者もいます。比率としては成績上位を占めるのは書道の実力者がやや多いのですが、それもややという程度で、歴史上の人物の対象が変わると上位者の顔ぶれが一変します。書道でまだ初心者レベルの人が突然三役に踊り出たり、時には横綱・優勝となったりします。そんな時書道師範が下位になることも多い

コラム❶

のです。

やはり書こうとした歴史上の人物の筆跡と平素の自分の筆跡傾向とが、一致するところがあるのか、相性が悪いのか、そんなところがものを言っている可能性が大きいはずです。とすると、書道にしても他の勉強、スポーツ、職業……無駄に努力し、効果のあがらない人達がいかに多いことだろうかと心配になります。

「清水次郎長」と抜群の相性だった書家の職業は……

私の書道の生徒にKさんと言ってペット関係の評論家で全国を飛びまわっている人がいました。その世界ではかなりの有名人です。時々東京に戻ってきて書道の教室に顔を出し、また地方へ出張することから自分で寅さんをもじり「フーテンのKちゃん」と称していました。この人が歴史上の人物のこの一字で、たまたま優勝、横綱となったことがあるのです。そのときの臨書の対象が清水次郎長でした。本人は「やっぱりヤクザな商売だからかな」と満更でもない様子でした。

ところがそれから何年か経って、もう一回その清水次郎長が出題となったことがありました。そしてその折もまたKさんが優勝したのです。コンクール出場者の顔ぶれはかなり変わっていました。しかし二回目にも書道の実力者は大勢いました。それを押し退けて優勝ということは、やはりKさんにどこか次郎長と通ずる気性、行動様式があったからではないでしょうか。

十九年間で優勝回数がかなり多かった人もいますが、四回連続は確かいなかったと思います。歴史上の有名人物はそれぞれ個性が強く、似たような人物は滅多にいません。それで次回も横綱をと張り切って挑戦してもなかなかままならないのです。しかし真剣に挑戦し苦杯をなめるごとに、対象者の筆跡特徴の意味、歴史上での役割などの理解が深まっていくようです。

第三章

文章の型を読む

〜文は人なり

筆跡上の特徴は文字だけではありません。次は〈章法上の特徴〉に注目してみましょう

章法とはもともと「文章の組み立て方」という意味です。漢詩の五言絶句とか七言絶句の四行詩を作る時の作法に起承転結という言葉があります。四行詩で第一句は起で内容を言い起こし、第二句の承はそれを承けて説明を加え、第三句の転では一転した観点に立ち、第四句の結で全体をまとめます。江戸時代の学者、頼山陽がこの法則を通俗的な詩を作って説明したことが有名です。

大阪本町糸屋の娘　（起）
姉は十六妹は十四　（承）
諸国諸大名は刀で殺す　（転）
糸屋の娘は眼で殺す　（結）

書道でも、一字一字をきれいに書くというだけでなく、一枚の紙にある字数の言葉を書くと

すれば、その全体が紙面にどのように配置され、どのようなバランスを取るかという章法が書の技法の重要な要素とされています。

筆跡の特徴にもこの章法が出てきます。第二章であげた一字一字だけの特徴でなく、与えられた紙面のどの位置に、どの大きさで書くか、字数が多いとすると、字と字の間は狭いのか、開き気味なのか、行間はどうか、行はまっすぐなのか曲がっているのか……等々。書く人により、ここにもさまざまな特徴があるのです。書かれた字だけでなく、書かれなかった余白の取り方にまで固有の傾向は出てきます。

なお章法では、字そのものではなく、与えられた紙面にどのように字を書くかという視点での見方ですから、人間が社会に対する対応の仕方に通じるところがあるといえそうです。人間がある場においてどのように行動するか、ということとも比較することができるでしょう。いずれにしても個人と社会は切り離せないもので、筆跡も一字一字のあり方とともに、それが書かれる場もまた重要なものです。

日本で最も普遍的に使用されているであろう郵便はがきの宛名面の書き方を診断材料として、進めていくことにいたします。

1「行の配置」の特徴

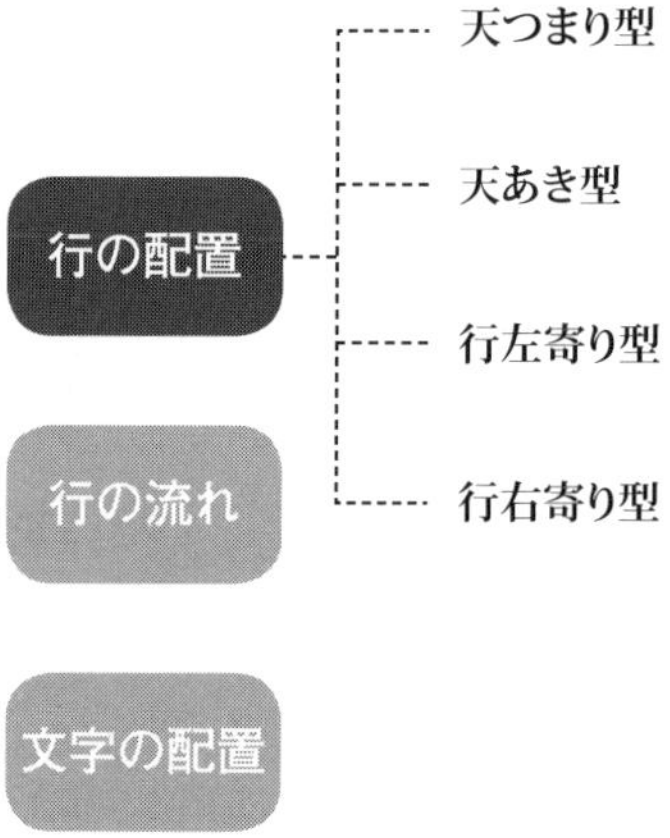

天つまり型

上部の「あき」は剣道なら相手との間合い。
天つまり型は物怖じせず、果敢に行動する傾向あり

書道では紙面の中で書かれた字の上部を「天」、下部を「地」と称します。天つまり型とは字の上部の「あき」がほとんどないか、上端にくっついている場合のことを言います。もうちょっとで上へ突き抜けるということは、精一杯間合いをつめているということで、剣

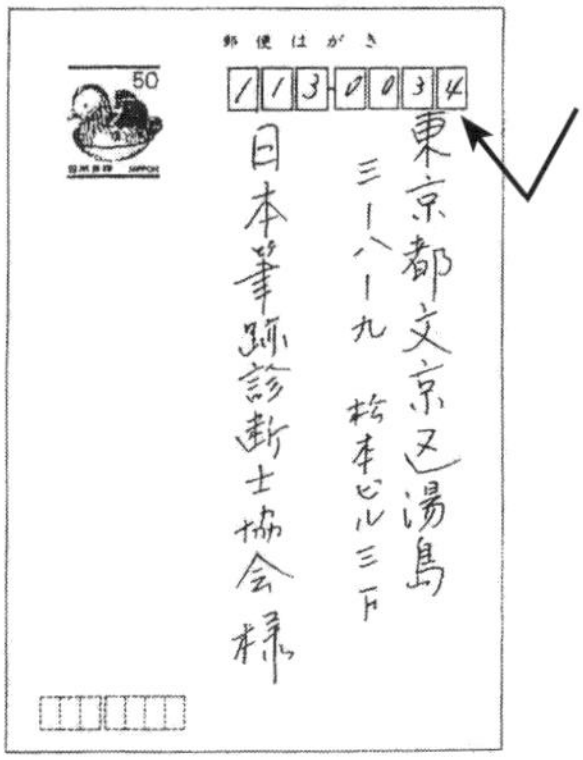

上部の「あき」がほとんどない

性格傾向

- 何事にも積極的
- ふみ込み能力強し
- 剣道でいえば、間合いをつめるタイプで度胸がよい

道でなら一振りすれば相手を切り得るところまで迫っている状況です。これには度胸が要ります。相手を切り得るほど迫っていることは、相手からも切られ得るということです。真剣勝負なら殺すか殺されるかで、それだけの自信と度胸がなければ難しいでしょう。

筆跡では剣を使うわけではありませんが、天の空間をつめるにはそれなりの圧迫感があります。天の「あき」が狭ければ狭いほど気おくれし苦しさが強まるでしょう。それをとくに何にも感じず平然と間隔をつめ得る人、むしろ上へはみ出すぐらいの書き方が性に合う人と、気おくれする人とでは、他の日常行動でも違いがあるはずです。

天つまり型の人は物怖じすることなく、積極性強く、果敢な行動派の傾向があるでしょう。自信家とも言えます。ただ、熟慮断行型とは違い、攻撃性が強く出る場合があるかもしれません。

天あき型

ゆとりのある天の「あき」は慎重さの表れ。裏目に出れば、消極的、臆病ととられることも

天あき型は天つまり型とは対照的と言えます。剣道でいえば間合いを広く取るタイプです。

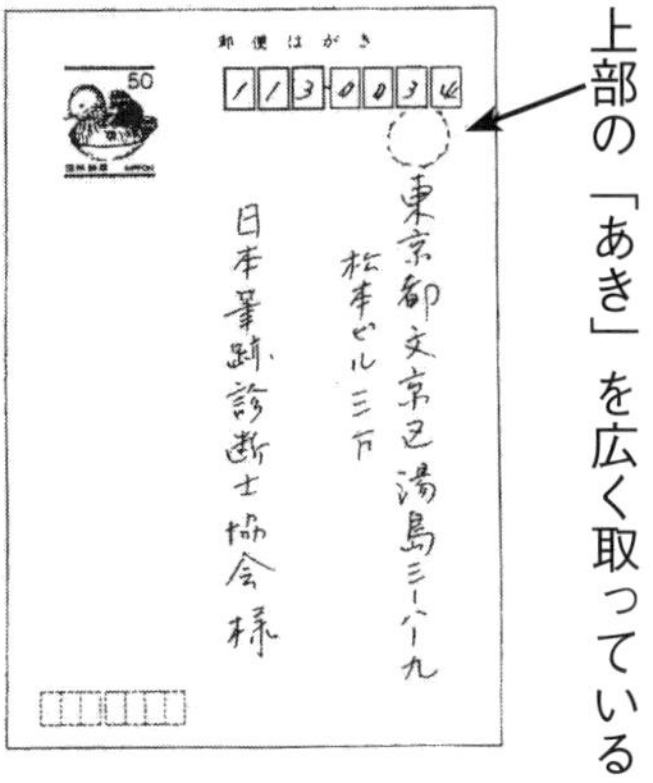

性格傾向

- 用心深く冒険をしない
- 臆病とも言える
- 気が弱い

自分から打ち込むことはできませんが、相手から切られる心配も少なくなります。慎重で用心深い行動傾向は、裏目に出れば消極的、臆病となることもあります。

字の大きさが標準的な場合、天あき型の広さは一字分入る以上の広さが基準となります。しかし、天の「あき」が目立つほどあったとしても、字が非常に小さい場合は、小字型として分類されます。小さな文字を書く人が天をつめて書くと、下の余白が空きすぎることがあります。そうならないようにと配慮する心理が働いている、と解釈できるためです。

行左寄り型と行右寄り型

あなたの行動は犬型？　それとも猫型？

宛先住所の書き始め、天あき型と天つまり型がありましたが、次は横の空間がどうなっているかです。縦書きの場合、行の右側の余白を広く書くか、狭く書くかです。

はがきの紙面は、これから書くという行動をする場となるわけですが、余白が広いということは中央寄りで、狭いのは側へはりつくこと。これは広場の中へ人が出ていく時、中央志向型

行左寄り型

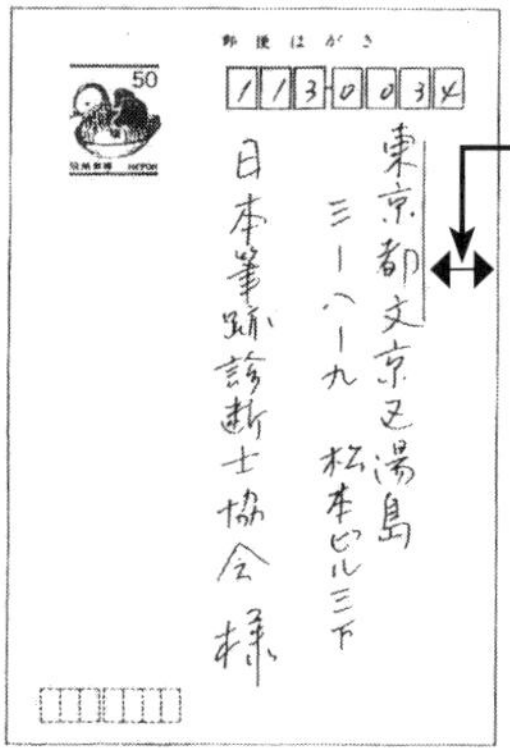

右側の余白が広く中央寄りに書く

性格傾向

- 社交性に富み、にぎやかなのが好き
- 電車の座席や宴会では中央志向

行右寄り型

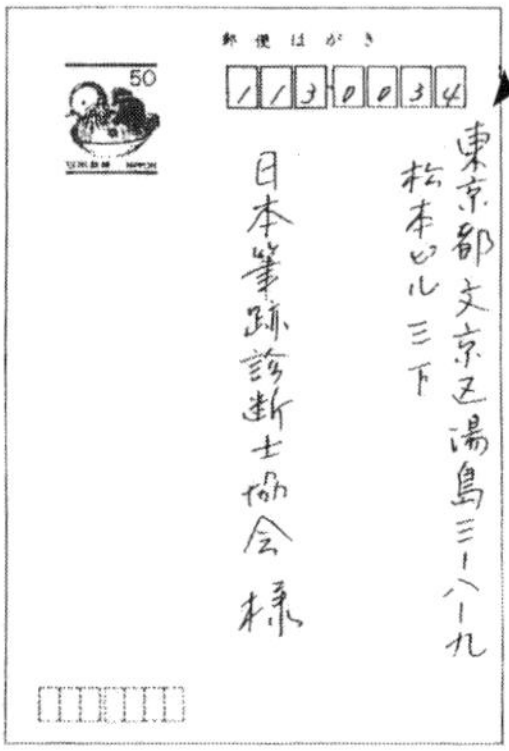

右側にぴったりはりついたように書く

性格傾向

- 人前で引っ込み思案
- 電車の座席や宴席ではいつも端っこ志向

か端志向型かの違いとなります。仮に犬や猫を広場で遊ばせるとすると、どうでしょうか？犬は中央を駆けまわりますが、犬に比べて猫は端へ行きがちです。そう見立てると、行左寄り型は犬型で、行右寄り型は猫型ですから、このような書き方をする人の日常行動を推定することができます。

例えばパーティーで人が集まっている時、誰かを探そうとすると、左寄り（犬型）の書き方の人ならたいがいは中央部でいろいろの人と談笑しているでしょうし、行右寄り型（猫型）の人は壁の花です。相手が猫型の人だとわかっていれば、端のほうを探したほうが早いでしょう。

座席も端が好きか中央が好きかにわかれます。電車の席では端のほうがもたれるところがあっていいからと理由をつける人もいますが、その理由がなかったとしてもその人は端に行くことが多いでしょう。

性格的には犬型は社交型。派手さ志向ではないとしても、人中に出ていくことが別に気になりません。

一方、猫型はどこかに寄り添っているほうが安心感があり、そこから距離を持つのに不安感を感じます。学生には猫型の書き方が多く見られるのですが、それは、性格的には仲間同士一緒に居ることを好み、見知らぬ人との付き合いには馴れていないという、つまり社会性が未熟ゆえ、行を右側にくっつけて書きがちになるということだと思われます。

2 「行の流れ」の特徴

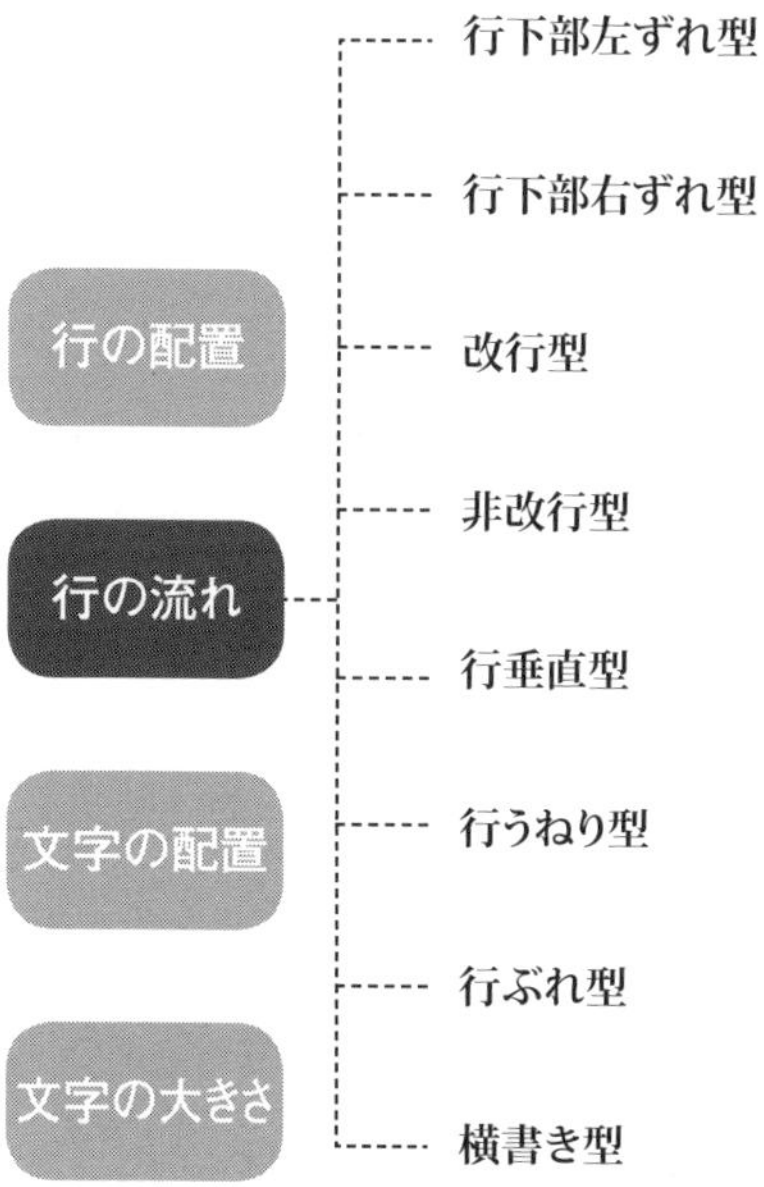
行の配置
行の流れ
文字の配置
文字の大きさ
行下部左ずれ型
行下部右ずれ型
改行型
非改行型
行垂直型
行うねり型
行ぶれ型
横書き型

行下部左ずれ型と行下部右ずれ型

書き始めの位置から行の流れがずれていく型。
無意識が足を引っ張っているとすれば……

縦書きの行の下部が書き進むにつれてだんだんと左方向、あるいは右方向へずれていく人がいます。

多くの人はほぼまっすぐなのですが、この型の人はいつ書いても同じようにずれている傾向

行下部左ずれ型

行が下にいくにつれてだんだん左へずれる

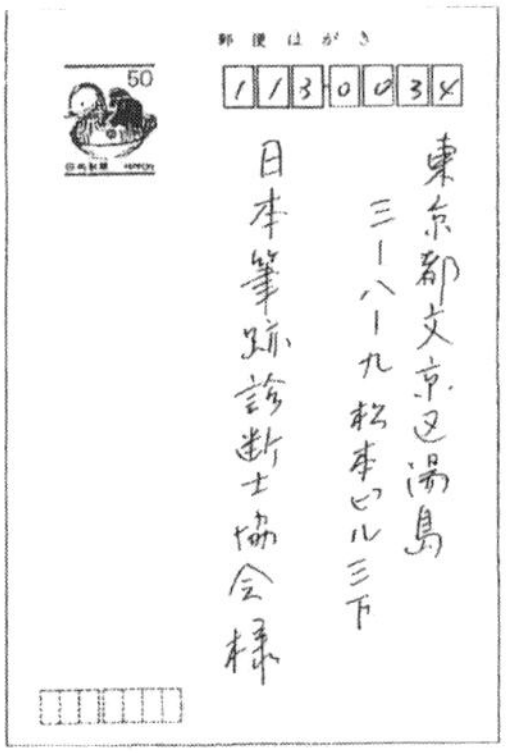

性格傾向

- 楽天気質　気楽運
- 常に楽しいのが好きで、厄介なことからは逃げる
- お正月型

行下部右ずれ型

行の下部がだんだん右側へずれる

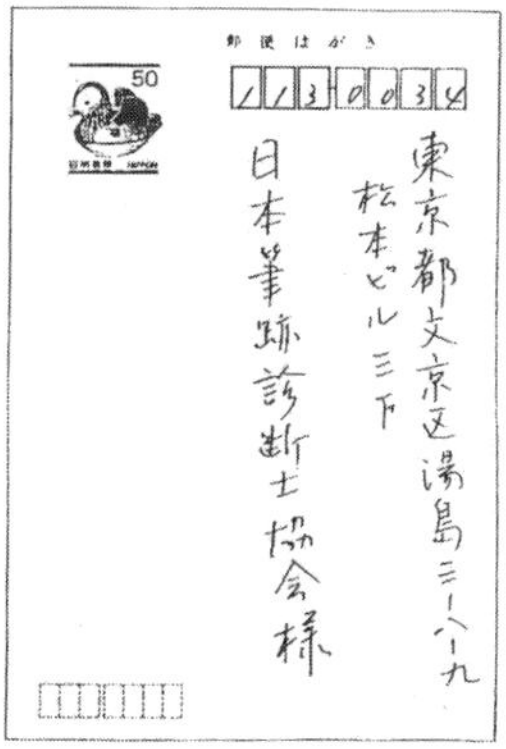

性格傾向

- 苦労性　悲観型　悲劇指向性あり
- 心身のどこかに苦しいところを持っていることもある（例えば熱がある等）

があります。そのような書き方の人に理由を聞いてみても、まっすぐに書こうと思っているのだがいつもこうなってしまう。理由はわからない。という答です。

書き始めの位置は「下部左ずれ」の人も「右ずれ」の人もほぼ同じ、どちらにも偏らずふつう型です。おそらく、最初の一字はこのあたりが適当とある程度確認する心理的機構があっての位置なのでしょう。丁寧に書こうとするときは意識も加わって位置決定をするかもしれません。

しかし書き進むに従って、すなわち行の下のほうになってくるにつれてなぜ甘くなるのか、しかも左方向と右方向とがあるのはなぜなのか、そこを考えてみましょう。

前項で見たように、左寄り型は犬型で中央志向、行右寄りは猫型で端に寄りたがる性格でした。それならば書き始めから左か右へずれていてもよいところを、始めは標準の位置、書き進むにつれてずれていくということは、少なくとも書き始めの際にはこのあたりが標準という意識が働いているのではないでしょうか。標準の位置にペンを下ろしながらも、書き進むに従ってその意識が薄れ、無意識まかせになっていく結果、左または右へずれていくようなのです。

ということは、根が左ずれ傾向の人であまりずれ過ぎるとの感覚を持つ人は、最初の一字を自分の好みを抑えて少し右へずらして書きます。そうすると自分の好みは広い方志向ですから、右側が狭くなるのは少し苦しい気がします。ただ最初の一字はその感覚を抑えて標準並みにとの意識が加わった位置になっているのです。

ところが次の字はもう左右の位置は上の字で決まっているのでその下に書けばいいだけ、それで無意識下の管理機能は左右の広さをコントロールする機能はやや薄らぎます。上の字の真下に書けばいいだけなのですが、もともと広い方志向で、右側が狭いと苦しいという感覚があるものですから、わずかですがつい真下よりは左へ寄りがちになってしまいます。そのペースで進行していったのが行下部左ずれ型と推定されるのです。

無意識下に苦しいよりは楽なほうにずれていこうとするわけですから、当人の性格は、気楽型とか楽天型の傾向ではないでしょうか。それを意識してではなく、自然に求めるタイプですので罪がないという感じになるかもしれません。

反対に行下部右ずれ型になると、右の余白が狭くなるのは左型ずれの人には苦しいのを求める感じと映るかもしれませんが、当人にとっては苦しいというよりはむしろ広いと不安感があって、寄り添うように近づくほうが安定感があるわけです。ただどこか消極的とか、頼ろうとする感覚があることは否めません。苦労性や悲劇志向性があり、心身のどこかに苦しいところを持っていることもあります。

行下部左ずれ型の例

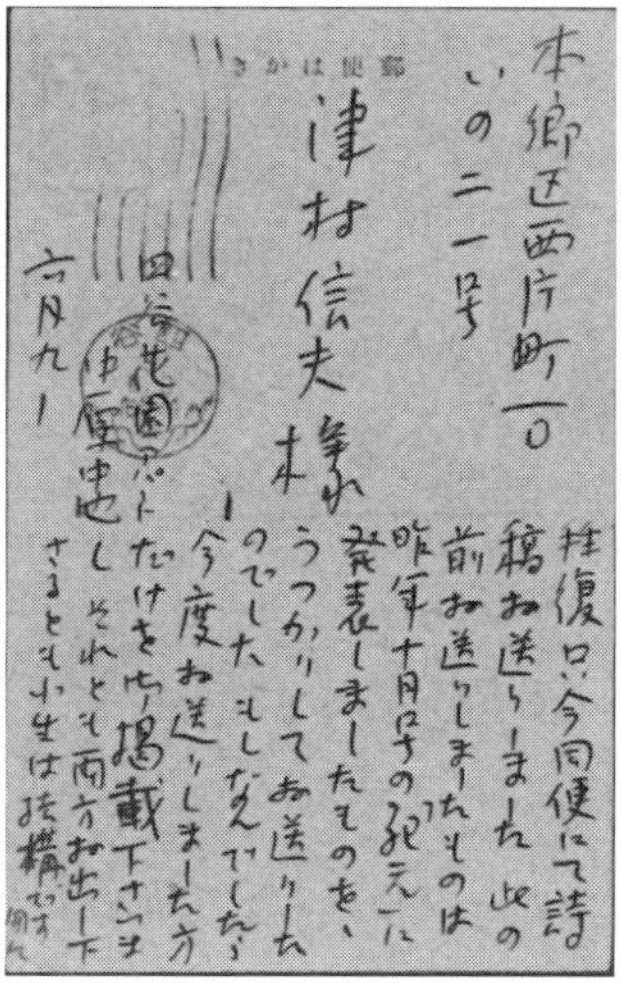
本郷区西片町十
いの二一号
津村信夫様

拝復 只今同便にて詩
稿お送り申しました 此の
前お送りしましたものは
昨年十月号の紀元に
発表しましたものを、
うつかりしてお送りした
のでした もしなんでしたら
今度お送りしました方
だけを御掲載下さいまし
それとも両方お出し下
さるとも小生は結構です

中野花園アパート
中原中也
六月九日

中原中也（詩人）から津村信夫（詩人）に宛てた郵便はがき
『津村信夫書簡・来簡集』
（小久保實編／帝塚山学院大学日本文学会・岩田書院）より転載

なお、どちらの型にも共通していえることとしては意識としては行の位置はこうありたいとして書き始めたところ、無意識の機能がずらしていったわけですから、意識と無意識の間に「ずれ」があるということがいえるかもしれません。意識がこうしたいということを無意識が足を引っぱっているような状況でしょうか。何かしようとする時は、意識と無意識ができるだけ合致しての状態が好ましいでしょうから、そこにずれがあるとマイナス面が出てくることになるかもしれません。

左方向の場合は気楽（楽天的）な方向ですが、右方向の場合は消極性に通じますので、積極性を求める人は一行の終わりの書き方を工夫してみると、何かかしら変化が生じてくるかもしれません。

改行型と非改行型

「社長・会長」役の人と「秘書」役の人の傾向がくっきり異なる面白さ

宛名書の住所欄を一行だけで書き終えてしまう人と、同じ字数ながら二行、三行と改行して書く人がいます。書き方としてはどちらでもいいように思えますが、一行で済ます人とすぐ改行する人とでは、筆跡以外の行動にも差が出てくると思われます。両者の深層心理上の違いを掘り下げてみましょう。

非改行型

一行でずっと続ける

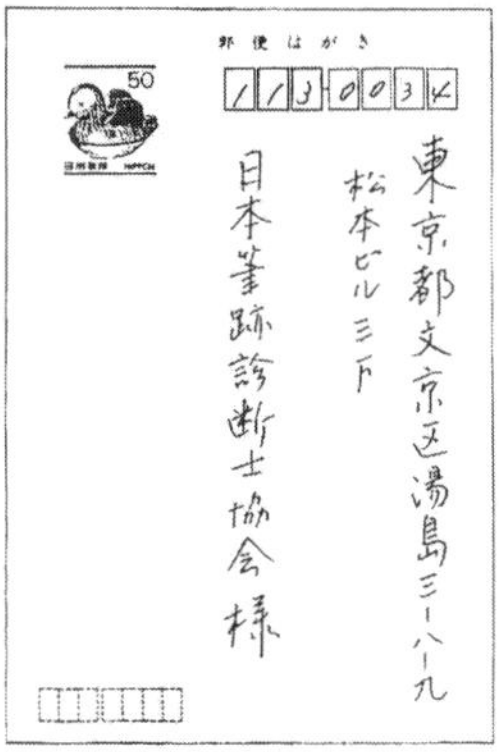

性格傾向

- 誠実
- 心変わりしにくい性格だが要領はあまりよくない
- とくに下がつまってしまったりするとドジ傾向

改行型

まだ続けて書けるのにどんどん改行する

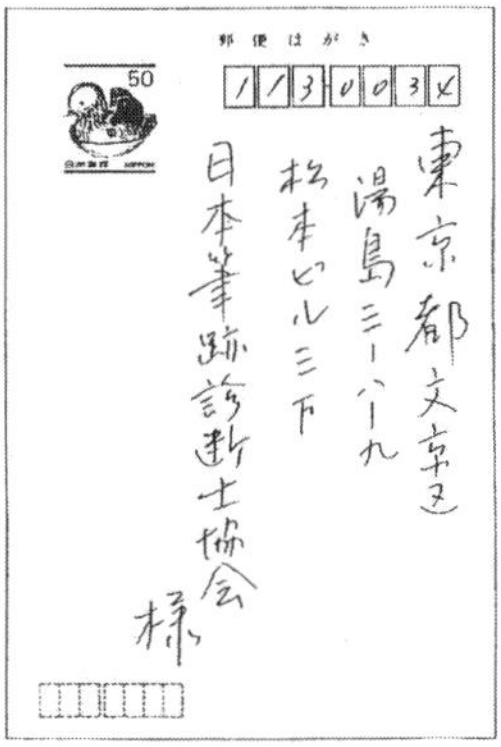

性格傾向

- すばしっこく、変わり身の早さあり
- 視野広し
- 同時多方面能力を持つ

非改行型は、宛先住所と限らず、何か書き出して下に書く余裕がまだある間は自然に書き続けていく習慣のようです。これに対し、改行型のほうは、何かの区切りごとに気分を改めて進行したいタイプなのでしょう。同じ洋服を長く着るタイプが非改行型だとすると、改行型の人は取り替えが早いタイプが多いかもしれません。

非改行型の人がやり出した仕事に集中し、一貫して仕上げることを好むのに対し、改行型の人は変化を求める傾向にあるようで、同時に二、三の仕事も引き受けるかもしれません。ここから類推すると、非改行型の人は愛情面でも一人の相手と添い遂げようとし、改行型の人は目移りしていくことがあるかもしれません。

仕事の面では与えられた特定方面を専門とするのに向いているのが非改行型、これに対し改行型はゼネラリスト向きです。会社社長などは改行型が好ましいのです。営業ばかりへ一所懸命になって、人事とか経理、製造、研究等その他の方面に目がいかないようでは会社の発展も望めません。社長は頭の切り替えが早く、なるべく同時多方面型のほうが望ましいのです。

以前ある出版社の仕事で大企業の社長・会長の筆跡をずいぶん見たことがありますが、その手紙宛名書の住所欄はほとんどどれも改行型でした。一方、大企業を中心とする秘書の勉強会で講演したことがあり、その際数多くの女性秘書から手紙をもらいましたが、やはり全員宛先の住所欄は一行のみでした。当然現在の職務による行動傾向の違いが筆跡に影響してくることがあるかと思います。秘書の方の筆跡としては、特別なタイプの秘書（例えば議員秘書？）でない限り、非改行型の筆跡でないと務まりにくいと考えたものでした。

行垂直型

一芸の深奥に達した人だからこその〝ぴしっと垂直〟

行垂直型

行の垂直整列性が高い

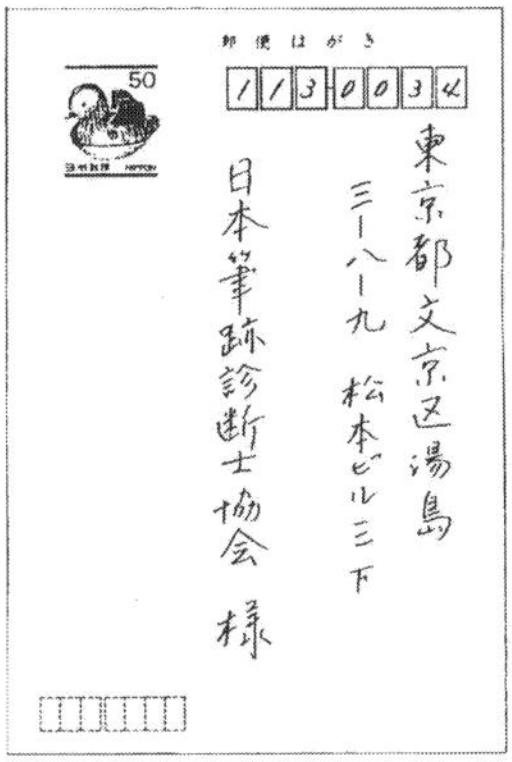

性格傾向

- 集中力に富む
- 宗教家とか、芸事に秀でる人等に多い

行垂直型は罫線などが入っていない紙面に縦書きで書いた時、どの行も各字の中心点を結ぶ線がぴしっと垂直に揃っている度合いが非常に高い書き方を言います。まっすぐ上から下に書けばいいだけなのだから、誰でもそのつもりで書いている、という人がいますが、実はぴしっと垂直になることは非常に難しく、小さくぶれていることが多いものです。

別に線を引いたりして測らなくても、完全度の高いものは一見して引き締まった感じを与えます。一芸の深奥に到達した人は他の何をやらせても一本芯の通ったところがあると言われますが、この行垂直型の書き方などそれに近いようにも思われます。つまり、仕事面でも芸術面でも高いレベルに達した人、あるいは宗教などの分野でもそういう人がいるかもしれません。

行うねり型と行ぶれ型

筆者の感応力がうねりやぶれとなって表れているのでは？

直線があり曲線があり、波動して進む線があります。自然界にそのような変化があるとすれば、筆跡の中にうねりやぶれが出ても不思議ではないでしょう。筆跡が自然界の波でどれに近いかと言えば、電磁波に近いのではないかと私は思うのです。海の波や音波は発生源から媒体の振動を通じて伝わっていくのに対し、光のような電磁波は何もないところに伝わっていくか

行ぶれ型

行の字の並びがほとんど一字ごとにぶれていく

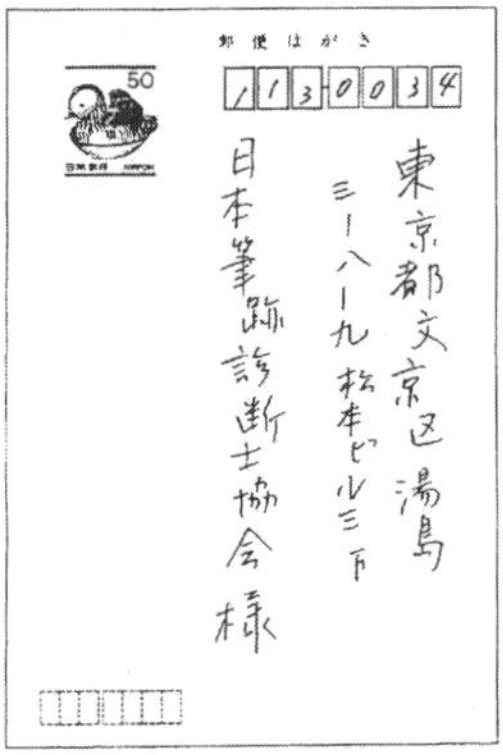

性格傾向

- 気が散りやすい
- 衝動性が強い

行うねり型

行がなだらかなうねりを持つ

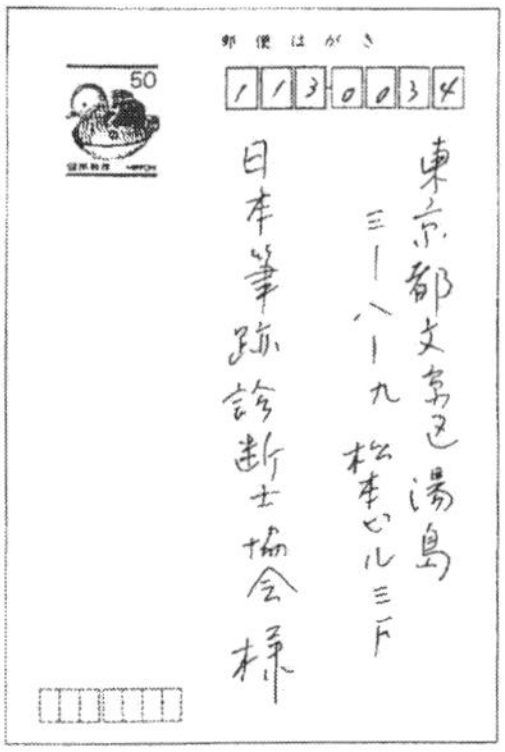

性格傾向

- 芸術家肌
- 音楽・スポーツ・話術などに優れることが多いが、愛情遍歴傾向もありらです。筆跡も媒体が振動するのでなく、あるいは感応波の痕跡か？と思いたくなります。

筆跡にエネルギーを感じられるとすると、前出の行垂直型も一つの高エネルギー波によるものと捉えられます。行うねり型でも、純度の高いリズム性があれば行垂直型とは異なる波長の高いエネルギーを持った〝感応波〟からくるものともいえそうです。

行うねり型のうねりに、繊細な情感が漂ったり、ダイナミックな迫力を感じたりすることがありまが、これは書いた人、つまり〝感応力発信者〟のエネルギーの痕跡との解釈もできるでしょう。ただ行ぶれ型の場合、エネルギーに統一性がなく、気が散りやすく、衝動性が強い傾向がありそうです。

横書き型

「新しいもの好き。若さ志向」は未だに健在

縦書き横書きそのものは別に特徴ではありません。しかし郵便はがきは郵便番号欄のあり方にしても縦書き用にできており、ここに横書きで書くとすると横書き型という筆跡特徴となります。縦書きで書くのは普通のことですので特徴にはなりません。

昭和三十年代には横書きで書かれたはがきに出会うことは滅多にありませんでしたが、東京

横書き

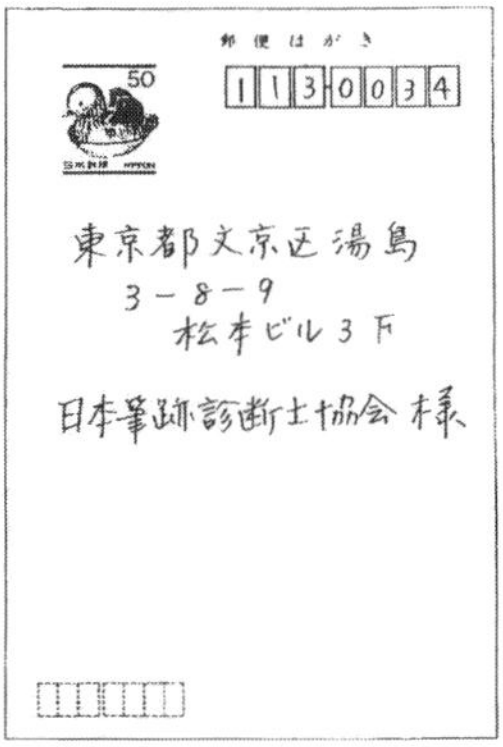

性格傾向

- 新しいもの好き
- 現代っ子型
- 老人でも横書きの人は気が若い

オリンピック頃を境に徐々に横書きが増え出したようです。昭和六十年代に学習雑誌社の企画で高校生の筆跡診断をしたことがあります。その時送られてきた何百通かのはがきのうちその中の三分の一くらいが横書きでした。中には、「私は横書きしか書いたことがないので横書きで失礼します」とわざわざ断りを入れてきた女生徒がいたことも記憶しています。

三分の一もいるとなると、高校生がはがきに横書きで書くというのは、すでに特徴とはいえなくなっていますが、年齢に関係なく今私のところへ来るはがきは、まだ九〇%以上が縦書きです。従って横書きで書く人は縦書きの人と比較すると、何らかの理由がありそうです。

縦書きか横書きかは書く前に決める事項ですから、線の伸ばし方など運筆に直接かかわる筆跡特徴と比べて質的な違いはありそうですが、はがきに横書きで書く人が縦書きの人と比較して他の行動での違いが表れるようですと、やはり筆跡上の一つの特徴としてよいでしょう。

昭和三十年代、私が勤めていた会社の工場長が六十歳前後の人だったと思いますが、彼は工場現場の従業員によく声を掛けるほうで、「若い人は若い人は」とよく口にしていました。この人から来る年賀はがきの宛名書きがいつもペン字の横書きで妙に印象に残っています。

当時は煙草屋に出ている「たばこ」と四角の金属板に右から左へ書いた広告をよく目にしたものでした。古い店の看板等はたいがいまだ右から左へ書かれた字の頃だったのです。それで、戦前派の人達は会合の席で横書きのスローガン等を張り出す時は、つい右から左へ書くのでした。業務記録の書類などはさすがに横書きでしたが、縦書き用のはがきに横書きで書くのはまだ随分抵抗があったはずです。

そんな頃の横書き派は、新しいもの好き、若さ志向、進んでいると言われたいし、自分もそう思っている人達でした。ただ若い人達はノートでも何でも、ふだん書くのは横書きへとどんどん移行していったのでした。

その頃から五、六十年は経過しました。世の中の情勢はかなり変わっているでしょう。しかし郵便はがきの形状は以前のままですが、それに抵抗を覚える人は少ないでしょう。宛名も縦書きという設定になっていて、それに倣う人のほうが多い以上は、横書きはやはり固有の特徴を伴う筆跡としてよいでしょう。

縦書き用の用紙にもかかわらずそこに横書きで書くのは、ルール（強い規制ではありませんが）に制約されるよりは自分の好み優先の人で、新しいものを好む、縦書きは少し古い感覚、旧体質であることはいえると思います。

郵便はがきは、縦書きが多くなる一つの代表的な例として選んだわけですが、別にはがきでなくとも、まだ縦書きの書き方の習慣を十分残している人と、横書きの習慣が強く出ている人の違いを認められる例はあると思います。この違いは、筆跡だけでなく日常行動にも小さなニュアンスの差として感じられる場が多いはずです。

「縦書きと横書きでは筆跡特徴の見方は変わるのでしょうか？」と聞かれたら、答えはイエスです。実は筆跡特徴の判断が真逆になる場合もあるのです

筆跡特徴と行動傾向の関係を読み取るという観点から、縦書きと横書きの違いを考えてみた時、見逃せない大事な観点があることに気がつきました。それは、筆跡特徴と人間の行動傾向の関係が、縦書きと横書きでは全く逆になる場合があるということです。

一つは文字の姿勢における右傾型です。

縦書きの場合、右傾型は見た目で右へ転びそうに見え、そのような書き方を書き続けると深層心理がそれに馴染むのは好ましくない旨を前に述べました。しかし、横書きの場合は一字だけ右傾型の字を取り上げても、それは縦書きの場合とは条件が異なるのです。

それは、運筆方向で両者に違いがあるからです。縦書きの場合は上から下、右から左、すなわち左下が運筆方向です。これに対し、横書きでは左から右、上から下へ書き進み、右下が運筆方向です。人間が歩いていこうとする時、目指す方向へ身体が傾くと片足が一歩前に進み前進の第一歩となります。しかし前へ進もうと、する時に後ろにのけ反るように傾くとするとそ

れは「危ない、転びそう」という感覚になるはずです。

従って縦書きの場合、右傾型は左下方向への進行方向と逆の方向へ倒れそうになるのでのけ反る形になりましたが、同じ右傾型でも横書きでは左から右へどんどん書き進む進行方向へ前倒しの形ですから、積極的とはいえてものけ反る形とはならないのです。

日本の字は本来は縦書き、右から左に書き進んでいく書き方です。これに対し欧米のローマ字は左から右、上から下への方向です。活字こそ直立型の姿勢ですが、ローマ字の筆記体の続け字は普通どの字も右傾型になっていることは皆さんもよくご存じでしょう。欧米では左傾型の字を書く人もよくいますが、向こうの筆跡心理学ではその人達の性格は「消極的、批判的、皮肉屋」などとしているものです。

例えば、どこを「天」とするのか？
縦書き場合の天がそのまま横書きの天とはならないことは、
皆さんもよくおわかりの通りです

文字の傾きのほか、天あき型とか、天つまり型、あるいは行右寄り型、行左寄り型等の問題があります。

縦書きでは書き始めの字の上部の「あき」が天で、書き進むにつれてできる行の右側が広いか狭いかということなのですが、横書きではがらっと変わります。横書きでは書き始めをつめるか間を置くかの空間は上ではなく左側の空間なのです。その左側が天に相当しますが、郵便はがきでは切手に相当する印刷された欄が上部の一角を占め、そこの影響があって左がそのまま天とも言い切れません。

行右寄り型は寄り添いたいという心理が働くために、右側空間にあきがなくなり詰めてかくわけですが、「横書き」では、相当する場所にすでに切手欄や郵便番号欄がありますから、同じように考えるわけにもいかないようです。

その他、縦書きで書く字を横書きにすると行に対して振幅となる線はどうなるかとか、連綿線はどうなのかとか、問題はいくつも出てきます。これにはある意味では文化の問題も加わります。

結局、縦書きの場合の筆跡特徴と他の日常行動の関係をそのまま横書きの場合に当てはめるわけにはいかず、仮に縦書きの上下左右の座標軸を左へ九〇度回転させると、縦書きの天の「あき」が横書きの左方の「あき」となり、縦書きの右方の空間が横書きの上部の空間に相当すると解釈されます。それで筆跡特徴と行動傾向の間にある程度の近似性は認められますが、縦書きでの場合のようにはうまくいきません。とくに郵便はがきのように郵便番号欄等、周囲の枠に違いがあると座標軸の九〇度回転だけで間に合わせることは危険です。

日本人の筆跡診断では縦書きを主資料に

横書きでも、等間隔だとか、閉空間だとか、はねとか転折とか、縦書きと共通する特徴はたくさんあります。それらの特徴を重視しての横書き筆跡からの特徴把握も十分成り立ちます。

しかし、日本の漢字・かなはもともと縦書き、右から左へ書くように作られ、その作用と人間の行動傾向の関係が長い年月定着してきた歴史があるのです。この歴史のもとに築かれた関係が、座標軸を九〇度回転させるだけで全て説明可能とまではいかないでしょう。

やはり日本人の筆跡の診断には縦書きでの書き方を主資料とし、横書きでの場合、縦書きに直したらどうなるか推定できればそれに従い、推定不能の場合は特徴として触れないほうが妥当かと思います。

横書きではむしろローマ字の書き方で深く追求するほうがよいかもしれません。そのことはコラムの中で触れたいと思います。

3　「文字の配置」の特徴

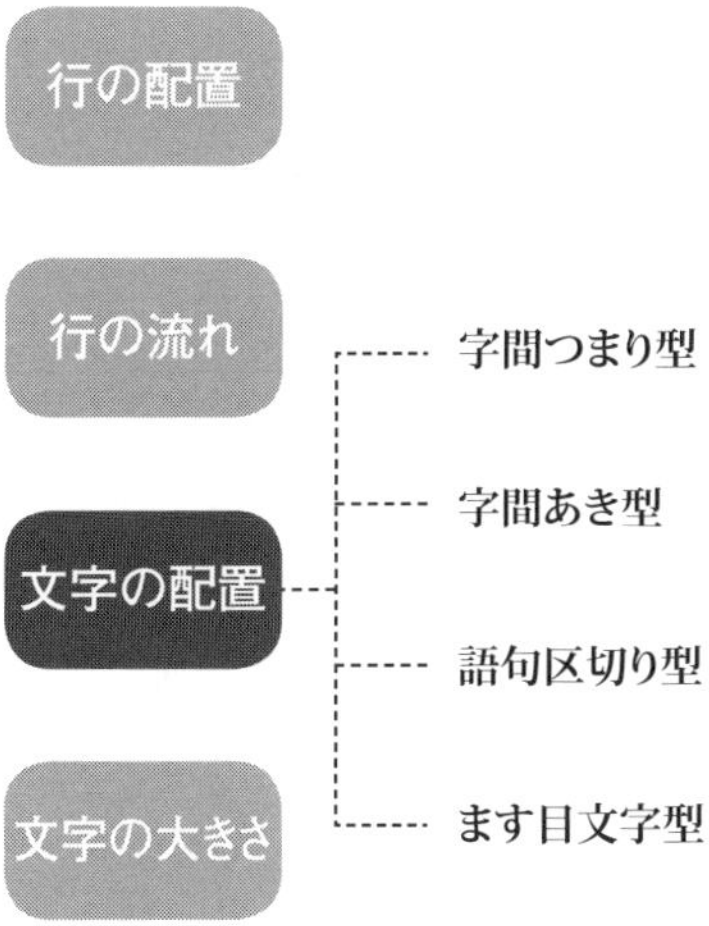

字間つまり型と字間あき型

せっかち型とのんびり型は、意外と相性がいいのかも

この項は筆跡特徴と他の行動との心理的関係が比較的わかりやすく示すことができるところです。右の字間つまり型及び字間あき型の例の、東京都から始まる宛先の字と字の間隔を比べて見て下さい。そして、このような書き方をする人の、他の日常行動のあり方を推理してみて下さい。

字間つまり型

字と字の間隔がぴったりつまっている

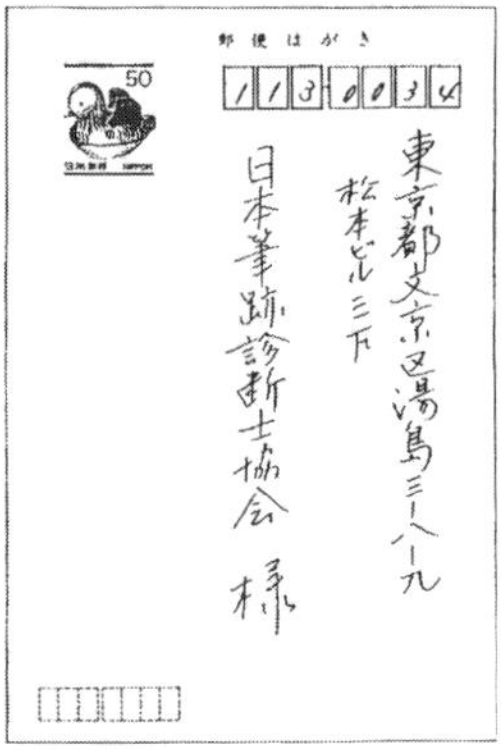

性格傾向

- せっかち型
- ゆっくり・のんびりは苦手

字間あき型

字と字の間隔が広い

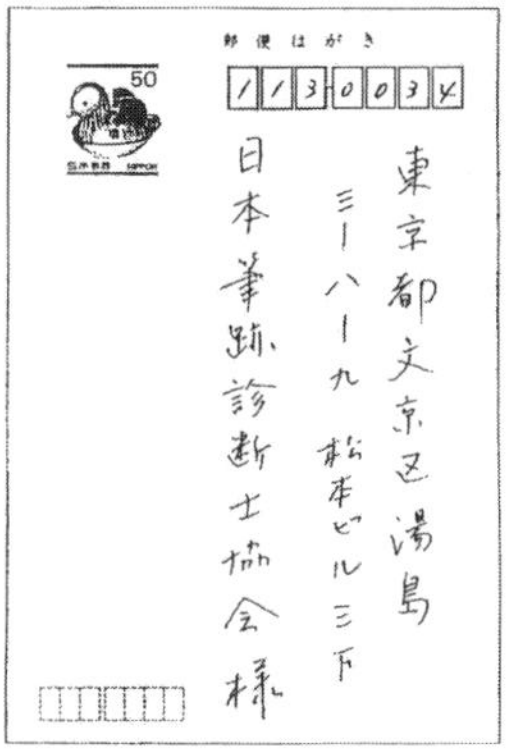

性格傾向

- おっとり、のんびり型
- せっかちな行動にはついていけない

例えば車の運転になぞらえれば、字と字の間隔は車間距離を表しているとも考えられます。だとすれば、字間つまり型の人の車間距離のとり方はどうでしょうか？　もしかしたら目一杯つめた走り方をするかもしれません。逆に字間あき型の人は、前の車と十分余裕のある距離を置いて走るかもしれません。

せっかちの人というのは何かを済ませて一息入れる間もなく次に移ります。そしてまた次へと、間隔を置いてじっとしているのが苦手のようです。字を書く場合でも、一字書き終えた次の字の最初の画が、前の字の延長のようにして続きます。意識して早めているというよりは、無意識下の管理機能が一字を書いてすぐ次の字へと移らせているのでしょう。

一方字間あき型の人は、上の「東」と「京」、「京」と「都」の字でもそれぞれ普通よりは広めに間隔を取る習慣がついているようです。何事につけ、ちょっと区切りの間を置いてから行動するようです。おっとり型とかのんびり型と人から評されるでしょう。周囲から早く早くとせかされても、落ち着いて自分のペースで事を進めます。

字間つまり型の人と字間あき型の人が一緒に生活するとつまり型の人はイライラするでしょうが、結構長く続いている夫婦もいます。相補い合う効果もあるのでしょうか。

語句区切り型

キレイ好きで整理整頓上手。自制心も強め

宛名書き住所で、「都道府県名」「市区名」「町村名」等、それぞれの区切りごとに少し間隔を置いて次に続ける人がいます。普通にはとくに区切りなどつけず同じテンポで連続して書いていくようなので、何かしら固有の心理傾向があるようです。

言葉の区切りごとに字間を広くとる

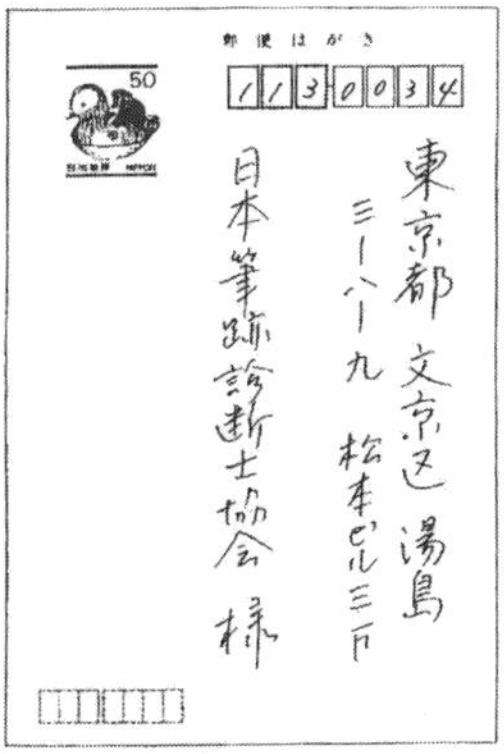

性格傾向

● きれい好き。整理整頓がうまい傾向。自制心が強い

この書き方の人の裏面の手紙文等を見ると「……銀座の　鳩居堂で　見たのですが」等ここでも区切りごと少し広めに空間を取っているのでした。

同じ種類のものは一つの区画にまとめる姿勢が通されていると考えられるでしょう。とすると字を書くときだけでなく、自分の身の回りも物が雑然と並ぶのではなく、きちんと仕分けされていると推定されます。つまりきれい好き、整理整頓が上手なほうでしょう。要所で区切りをつける習慣がありますから、自制心も強いと思われます。

ます目文字型

電子文字風の端正な型。今後多数派を占めるようになったとき、社会も大きく変化する可能性あり

どの字も活字のように大きさがそろっている

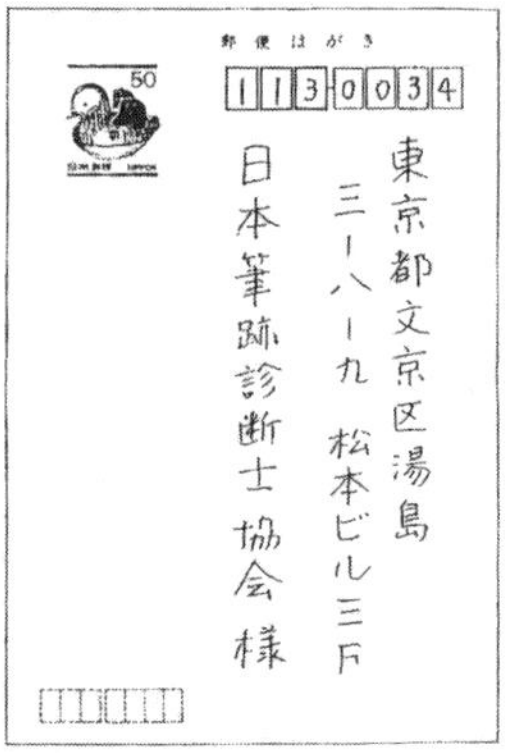

性格傾向

- 気分に左右されず、コンスタントに仕事をする
- IT 関係の仕事なども向く

この頃は手紙を書くかわりに、メールで済ます人が多くなりました。何か書かないといけない時に漢字を忘れて、携帯で漢字を打ち出してそれを見て書いたりもしているようです。そのようなことから、頭の中に馴染んでいる字が電子文化の比率が高いようです。ふだん書く字も

その系統の字に近づくのは自然の成り行きです。

電子文字には先端が細くなる「はらい」と「はね」がありません。またほとんどの字が正方形の枠いっぱいに収まる形になっています。それに近くなった字がこのます目文字型です。

ます目文字型の習慣が身につくと、一字一字、感情の揺れに従って大きな字になったり小さな字になったり、長く伸びる線が生じたり、連綿線ができたり、そういうことが少なくなります。仕事の向き不向きでいえば、コンピュータを使うＩＴ関係に向いた人であるといえるでしょう。連綿や先端が細くなる部分が生じないのでドライな割り切り型、性格もクールになるでしょう。

この傾向は将来ますます優勢になるかもしれません。それが人類にとって幸か不幸か何とも言えませんが、ただコンピュータ文明には役立つかもしれないということ、そして、情緒的世界からは遠くなっていきそうだ、ということは考えられます。この書き方には「長突出線」もなく、殻を突き破ることもしないので、少人数の時には社会はたいして影響を受けません。しかしいつの間にか人数が増えて多数派となった時には、人類に大きな変革が訪れそうな予感がします。

4 「文字の大きさ」の特徴

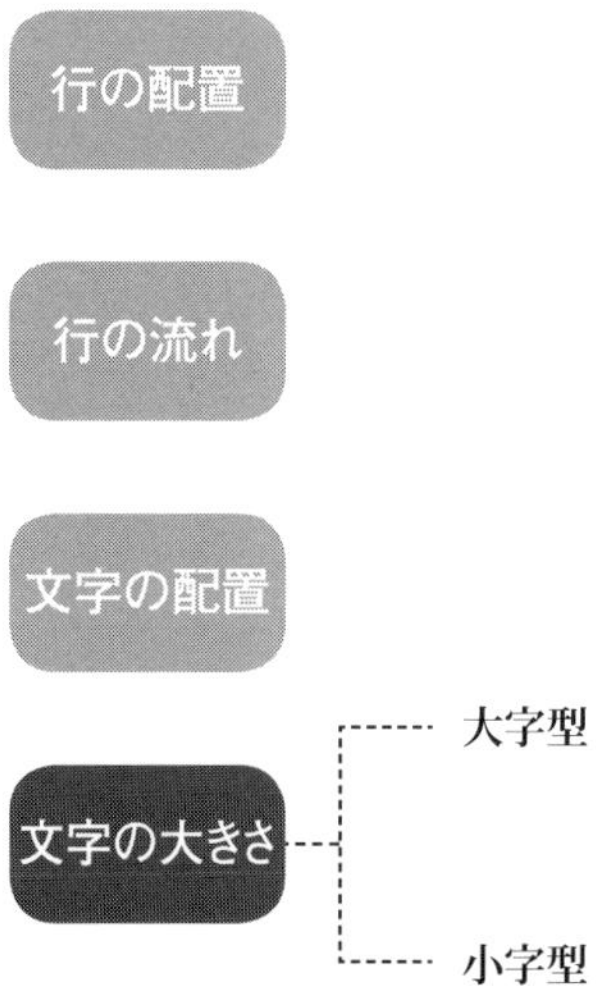

大字型と小字型

文字の大きさは不思議にカラダの大きさに反比例する傾向あり

字の大きさはどんな紙にどんな筆記用具で書くか、それが決まらないとなんとも言えないところがあります。同じ紙に同じ字を書くにしても、大筆で書いたのとボールペンで書いたのとでは、大筆で書いたのが大きくなるに決まっています。

左の大字型、小字型は同じ内容の字を、同じ用紙に、同じペンで書いたものですから、字の

大字型

大きい字で紙面いっぱいに書く

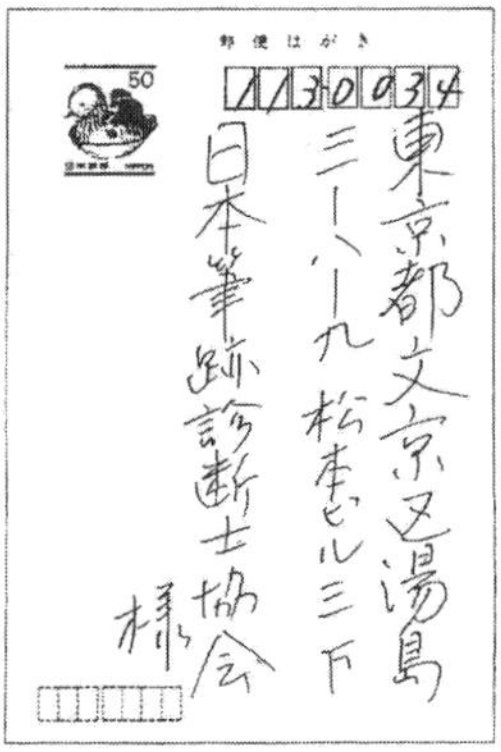

性格傾向

- のびのびとした行動力がある
- 遠慮したり、控えたりしないほう

小字型

小さい字で余白が広い

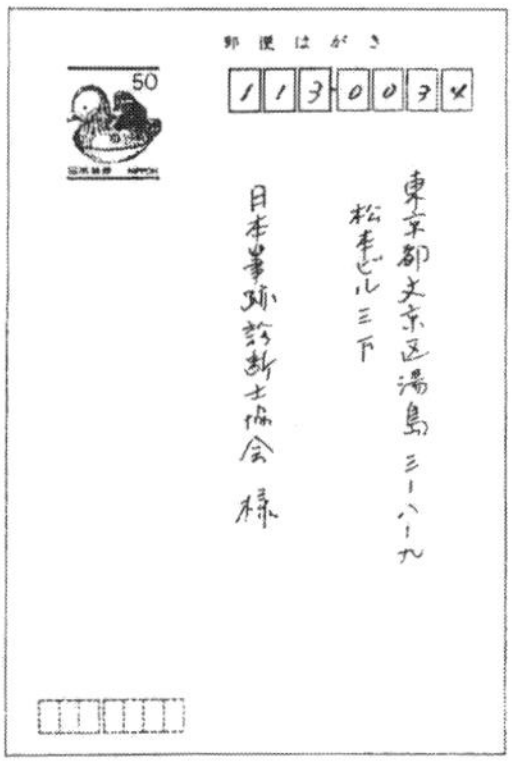

性格傾向

- おとなしい性格
- ムリをせず、派手にはしゃいだり、目立つ行動をしない

大小の比較は一目瞭然です。とくに郵便はがきという用紙は全国共通ですから、相互比較のためには非常に有効です。

はがきの表の郵便番号欄の下の空間は、相手先の住所氏名を書く欄です。書く人にとっては、宛名書を書くという行動の与えられた場です。大字型の人はこの空間をフルに使って書面いっぱいに書き、小字型の人は小さい字で余白をたっぷり残して書いています。意識してそう書いているわけでなく、そのような書き方が性に合っているからでしょう。

はがきの紙面いっぱいに書く人や、小さな字で広い余白を残して書く人がいるように、与えられた場でのびのびと一〇〇％の実力を発揮しようとする人と、無理やミスのないようにと抑え気味に行動する人にわかれるでしょう。それは無意識下の行動管理機能すなわち深層心理がそうさせるものです。

大きい字で紙面いっぱいに書く人は、仕事の場でも遊びの場でも、積極的、活動的でしょう。小字型の人はおとなしく、じっとしていることが多いものです。大字型の人はにぎやかでよく喋り、小字型の人は黙っています。人並み以上にやれることでもなかなか自分からやろうとしないものです。

身体の大きさと字の大きさは案外比例しないものです。身体の大きい人が意外に小さい字を書くことが多いものですが、身体の大きい人が小さい人の間に混じって同じように振舞うと、周囲が困惑することがあります。大きい人がつい遠慮気味になりがちなのは子供の頃からそういう経験を経てきたためかもしれません。その習慣が書く字にも出てくるということになりそうです。

反対に身体の小さい人で大き目の字を書く人は意外に多いのです。小さい人は精一杯動いて他の人と同等になるという気持ちがあるせいか、胸を張って顎を上向き加減にし、声が大きく態度が大きいこともあります。それに対し、大きい人はうつ向き加減、声が小さめ、控え目という傾向も見られます。

では、身体が大きくてそのうえ大字型の人はどうかというと、体力がありながら遠慮することのない習慣がついている可能性があり、そういう力があって控えたり恐れたりすることのない人が優秀であれば英傑型で、そうでない場合は乱暴者というケースが生じそうです。

なお身体が小さくて字も小さい人は、体力、気力弱めとなりやすいでしょう。おとなしく、目立たない存在の人が多いようです。

大字型はがきの例

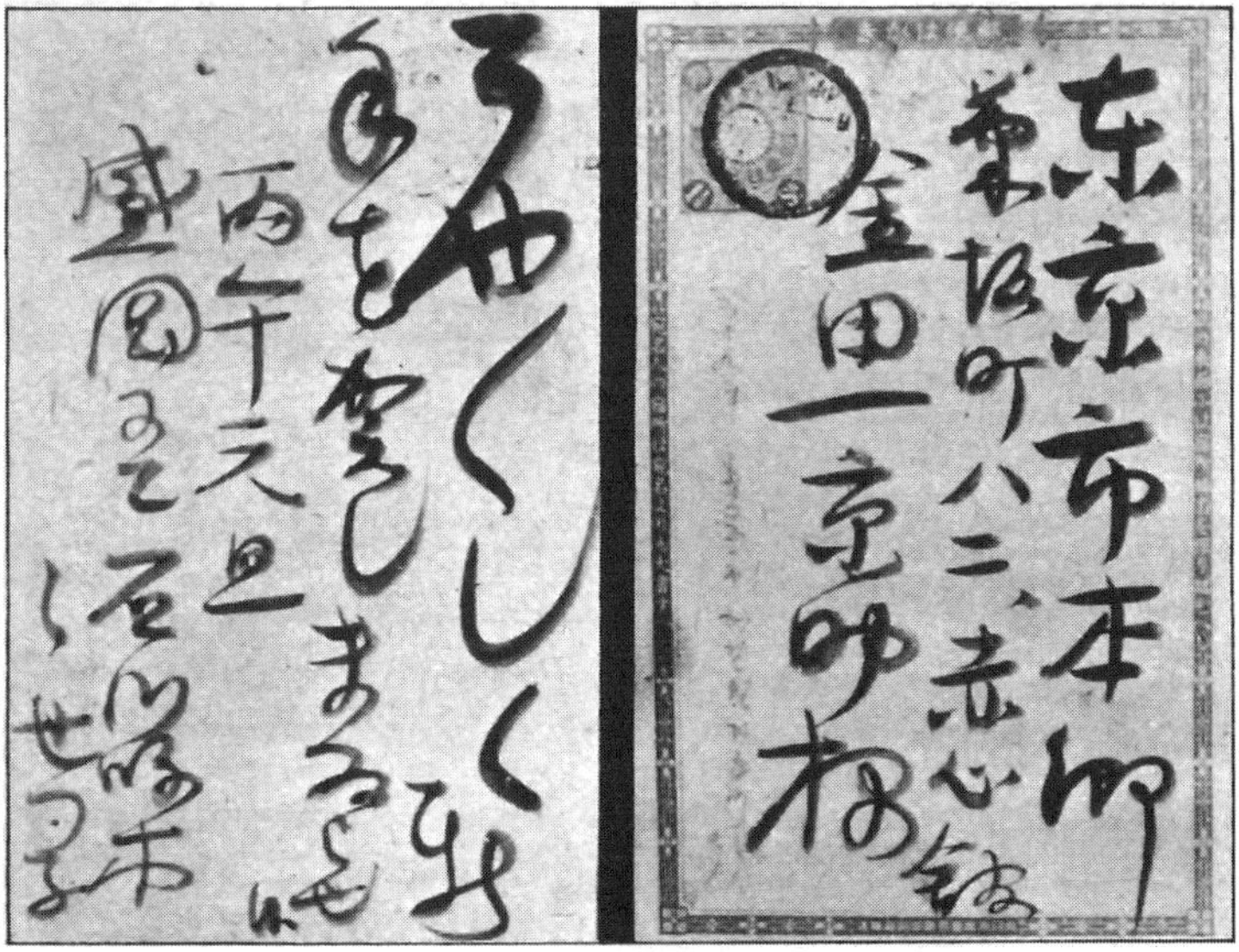
東京市本郷
菊坂町八二 赤心館
金田一京助様
丙午元旦

石川啄木の書いた、金田一京助宛ての年賀状。
〈うやうやしく新年を賀しまゐらせ候〉

グラフォロジー・日本と西洋との違い

英・仏・独語で筆跡学にあたる言葉はグラフォロジー

英語あるいはフランス語、ドイツ語では筆跡学のことを（綴りはやや違いますが）、読みは共通してグラフォロジーといっています。語源はギリシャ語で、グロフォは書くこと、ロジーは科学を意味する言葉でその合成語のようです。最初の命名者はフランスのジャン・イポリート・ミション神父でした。

ところで最近は日本でもこのグラフォロジーという言葉をよく耳にするようになりました。三十年も前は日本ではほとんど知られていなかったと思います。一九六〇年代以前の私の使っていたコンサイス英和辞典など二、三の英和辞典、仏和辞典（ポケット版ですが）にはグラフォロジーの単語は載っておらず、一九七〇年代になってようやく三省堂の独和辞典、研究社の英和辞典などで見かけるようになりました。

そんなことから学生時代、心理学科に在籍していながら、筆跡学のことも筆跡心理学のことも知りませんでした。「はじめに」で述べたように、書道の先生となって一九八〇年代に入った頃、筆跡特徴と性格との関係に気づき、我流での研究にのめり込むことになったわけですが、神田の書店めぐりをしても筆跡学の本に出会うことはなく、結局図書館で百科事典からミション、クレピュー・ジャマン、クラーゲス等の名前を知ったくらいだったのです。

それから三十年、今私の手許に十数冊の英語・フランス語のグラフォロジーの原書がありますが、語学は苦手で完読したのはやっと二冊です。つまり、私には体系的に外国のグラフォロジーについて述べる資格はないわけですが、西洋のグラフォロジーの実際がどのようなものかということに限って、その一端をご紹介しましょう。

コラム❷

七種類の筆跡特徴を持つ"t"の字

西洋の字と日本の字の最大の違いは字数です。英語やフランス語の文字はアルファベット（ローマ字）二十六文字ですが、日本の字は漢字、ひらがな、カタカナからなり、常用漢字だけでも二一三六字もあります。それで各字ごとの特徴を仔細に見ていく方法ではなく、様々な文字に共通して表れてくる筆跡特徴を分類し、その分類された特徴ごとに分析をしていくという方法になるのです。

一方、二十六文字しかないアルファベットでは各字の中の他の字と共通するものを抜き出して分類していくより、それぞれの字ごとに特徴を取り上げていくほうが便利なのでしょう。アルファベットの各字ごとにその特徴の字形を示し、そのような書き方の人の性格を述べたものが大部分のようです。

米国及び英国で発行された「文字の諸タイプ」という本の中でtの字に伴う特徴を二十二挙げてありまし

tバーの位置による性格の相違

		字形の特徴	この書き方が表す性格
①		tバーが縦線の上に浮いている	目標がとても高いが夢想家が多い
②		tバーを縦線の頂上に書く	目標が非常に高い野心家
③		tバーが縦線の頭部に近く交差	ほどよい目標を持っている人
④		tバーが縦線の中央	実際的目標志向型の人
⑤		tバーが縦線の下部で交差	目標志向が弱く意欲が低い
⑥		tバーが縦線の左方にずれる	ぐずぐずして遅れ気味
⑦		tバーが右方にずれる	短気を表わす、怒りっぽい

※①、⑥、⑦は日本人にはあまり見られない書き癖

た。縦線横線一本ずつの単純な字ながら実にいろいろの書き方があるものです。その中でtバー（tの字の横線部の名称）の位置についての項を概略紹介してみましょう（図は前ページ参照）。

tの字の横線部tバーの位置のあり方に関する問題、英語の筆記体のタイプでこのようないろいろのあり方があるとは思い及ばないところでした。例えば①のtバーが縦線の上に離れて浮いた形の書き方など、たいがいの日本人はそれは書き損ないで一つのタイプとするまでには至らないと感じるでしょう。⑥、⑦のtバーが縦線の左か右へ離れてしまっている書き方にしてもそうです。

しかし現実に英語のグラフォロジーの本に①、⑥、⑦のタイプは字形も説明も載っていますし、実際私が昨年末英国の知人からもらったクリスマスカードに手書きされたtの字は⑦の右方へ離れ、しかもかなり離れた書き方でした。

どうやら本場の英語圏の人達の手書きのローマ字は、日本人にとってはケタ外れと見えるようなくずし方をする場合が多いようです。だいたい日本人の書いた英語の文字は、日本人にとってはとても読みやすいものです。それが英国人あるいはアメリカ人の書いた英文になると、途端に読めなくなってしまうのです。それはどうやらくずし方の幅に格段の違いがあって、先にあげたtの字にしても、⑥とか⑦の場合のtバーを左か右へずらす時、日本人ならどれだけずらしたとしても、反対側に少しは残すでしょうし、縦線から完全に離れてしまうことなどまずあり得ないと考えられるからです。

例えば漢字の「大」の字など、日本の筆跡特徴では横線が左へ長いのは横線左方長突出型と言いますが、いくら長くなっても右側は縦線の右側に少しは残すはずです。もし縦線より少しでも左へ離れてしまったら、もはや「大」の字ではなく「一人」という字になってしまうでしょう。

コラム❷

グラフォロジーが日本に馴染みにくかった理由

私の書道の弟子にほぼ私と同年輩のドイツ人女性がいたことがありました。彼女は日本でドイツ語の先生をしていて、日本が好きで書道にも熱心でした。いろいろ話を交わすうちにグラフォロジーの話になり、ドイツでの普及の状況を聞いたところ、「日本でグラフォロジーの話が出たこともあったけど、まわりの人誰も知らない。なぜなのでしょう。私は大学でグラフォロジーの単位を取りました。どの学校でも教えていたと思います。グラフォロジーは面白く、とくに女性には人気がありました」ということでした。

ドイツよりもフランスのほうがグラフォロジーはもっと普及しているようで、大学で正科として取り入れられているとすると、なぜ日本では知らない人が多いのでしょうか?

いろいろ考えているうちに思いあたりました。日本では明治維新後続々と留学生が西欧へ渡りました。物理学、数学、科学、生物学、植物学、医学、法律学、経済学、歴史学、哲学、論理学、心理学……等々。およそあらゆる学問を留学生達が学び、帰国後大学の教授り、それが日本の学問の出発点となりました。フィロソフィーという言葉を哲学、サイコロジーを心理学と初めて日本語に訳したのは西周という留学帰りの学者でした。

西洋でグラフォロジーはサイコロジーとほぼ同じ頃学問として取り上げられています。筆跡学と心理学はかなり近い学問です。そして心理士とか筆跡診断士という言葉もあり、後述することになりますが、筆跡診断士という仕事はとくにフランスでは弁護士とか建築士と並ぶような権威ある立場にあるらしいのです(日本経済新聞の記事で知りました)。にもかかわらず、グラフォロジーという学問が日本に輸入されず取り残されたのはなぜなのでしょうか?

しかし考えてみれば明白なことでもあります。留学生は西洋のいろいろの学問に目を通したでしょう。グラフォロジーにも触れたはずです。しかし、アルファベットのtの字のtバーをどの位置に書くのはどのような性格の人なのかなど、日本へ持ち帰って大学で講義しても、およそ何の役にも立たないことでしょう。数学や医学と異なるのです。論理学や心理学でも民族を超えた普遍性がありますが、文字となるとそれを使わない民族にとってはどの部分がどうだこうだと言うのは全く意味のないことだからです。

物理学、数学、哲学、心理学……そうした学問の講義が日本の大学で軌道に乗り始めてから百二十年、グラフォロジー、つまり筆跡学は他の学問に比べてそれだけの遅れがあります。

グラフォロジーの歴史概観

ローマ帝国の皇帝ネロの手紙の中に「その男は筆跡に二心あるところが出ているから、宮廷では用心している」というくだりがあるそうです。二千年も前から筆跡により人を判断する例があったようです。

一六三〇年頃、イタリアの学者カミロ・バルドーが、書かれた文字を見ることで書いた人の性質を知ることができるという本を書いて一時的に大評判となったことがありました。当時はそれっきりでしたが約二〇〇年後、つまり一八〇〇年代の中頃、フランスに後継者が現れました。フランドリー神父です。フランドリー神父は学者でもあり、このバルドーの著書に強い興味を持ち、仲間を募って研究をはじめました。

ついでフランドリーの教え子だったミション神父が師の研究を引き継いでこの新しい学問を発展させ、「グラフォロジー」と命名しました。一八七二年にミションの書いた本『グラフォロジー体系』が彼の名を高め、「グラフォロジー」という言葉が初めて印刷されて世に出ることになったのでした。

それから間もなく、ミションの仕事は同じフランスのクレピュー・ジャマンによってより簡潔により幅広く発展させられ、ついでドイツのルドウィッヒ・クラーゲスがグラフォロジーの原理の立証やその確立のための厖大な仕事に取り組み、その結果ドクター・クラー

コラム❷

ゲスは現代グラフォロジーの父と呼ばれるまでになっています。

ヨーロッパは国家・民族、いくつにもわかれており、言語・文字も異なりますが、アルファベットの本は同じローマ字で、相通じるところが多いのです。それでフランスで生まれたグラフォロジーはすぐヨーロッパ各国へ広がりました。とくに知識階級で関心を持つ人が多かったようです。イギリスの小説家で首相にまでなったディスレリーとか、アメリカの探偵小説家エドガー・アラン・ポーなどはアマチュアのグラフォロジストだったそうです。

ヨーロッパでの各国、各民族の筆跡特徴としては次のように言われています。

スペイン……花文字と言われる飾り立てた大文字を書くことが多い。プライドと熱狂性の証しのようです。

フランス……かなり小さめの字で論理的に構えたような形の字を書きます。

イタリア……飾らない小文字と優雅な大文字。リズム感と技のある書き方です。

ロシア……大きめで流暢な書き方に情動的な資質と社交的才能が表れています。

ドイツ……他の国の人と比べて角張って几帳面な書き方です。

イギリス……控え目で単純。花文字などは書きません。

アメリカ……のびのびとして流暢。そして他の国のいろいろな特徴が混ざり合った形です。比較的若い国で、国柄として固定した傾向がまだできていないのでしょう。

（以上　アメリカの筆跡診断士ドローシイ・サラの著書より）

右の特徴はもちろんそのような書き方の人が多いという代表的なもので、各国ではそれぞれ個人ごとにさまざまな違いがあります。

ところでこの一五〇年ほどの間に急速に拡大した西洋のグラフォロジーで、現在それを研究し、あるいは職業としている人はどのくらいいるものでしょうか？

各国の労働人口に対する筆跡診断士の割合

フランス	5,000 人に 1 人
スイス	8,000 人に 1 人
イスラエル	11,000 人に 1 人
イタリア	11,000 人に 1 人
オランダ	15,000 人に 1 人
ハンガリー	20,000 人に 1 人
スペイン	22,000 人に 1 人
ベルギー	24,000 人に 1 人
デンマーク	56,000 人に 1 人
オーストリア	65,000 人に 1 人
ドイツ	67,000 人に 1 人
ノルウェー	73,000 人に 1 人
英国	141,000 人に 1 人
スウェーデン	144,000 人に 1 人
南アフリカ	194,000 人に 1 人
日本	3,300,000 人に 1 人

※なお、アメリカ、カナダ、ブラジルはデータがそろわなかったとのこと
（ナイジェル・ブラッドレー氏の調査引用）

二〇〇五年のフランスグラフォログ協会発行のラ・グラフォロジー一月号に右図のような調査結果が載っていました。

先の表は西洋を中心とした各国のグラフォログ（筆跡診断士）の割合で、その国の労働人口当たりの筆跡診断士有資格者数（推定数）を表わしています。労働人口何人に対し、筆跡診断士の仕事をしている人が何人いるかということです。

やはりグラフォロジーの名付け親であるミション神父を生んだフランスが第一位です。フランスで五〇〇〇人に一人の密度のところ、日本では三三〇万人に一人。七百倍近い開きがあります。この数字は実は二〇〇一、二年頃、フランスのグラフォログ協会から当協会に筆跡診断士の数と日本の労働人口数について問い合わせがあった際、当時の当協会の診断士数は

コラム❷

（日本では他に名乗る人はいなかったはずです）二十名であること、労働人口は六六〇〇万人であることを回答したことが根拠になっています。

その後十年ほどして日本の筆跡診断数はほぼ倍になり、現在も増え続けています。しかし西洋に比べるとまだまだ大きな格差があります。アメリカではヨーロッパに比べてグラフォロジーの評価はやや低いようなのですが、それでも以前、アメリカグラフォロジスト協会会長が来日した折、伺ったところでは、アメリカでの会員数は約四万人とのことでした。また私がその頃ハワイへ行った時本屋を覗いたところ、大きな本屋ではありましたが、棚一段ぎっしりグラフォロジーの本がつまっていたものでした。

清の時代にあった「筆相占い」

中国、日本、韓国は、中国を発祥とする漢字文化圏の国です。中国では二千数百年も前から数多くの古典が書かれ、文字による文化が発達し、朝鮮、日本へと伝来してきました。そして「書は人なり」と言われ、「心正しければ書もまた正し」等、書く字と人間性に関係があることが、昔から誰にも当然のように思われてきたようです。しかし、ではどのように書が人なのか学問としての分析研究の記録は、中国にも日本にも何もないようです。

清の乾隆帝の時代、清の版図は最大となり、世界一の大国でもありました。ある時乾隆帝がおしのびで街に視察に出かけました。市場の雑踏を通りかかると「筆相占い」と看板を出した店の主人が皇帝を見かけ、

「そこのお人、ただ者ではないようじゃが占って進ぜよう」

と声をかけてきた、という逸話があります。

何を占うのかと聞くと、地面を指さし、棒を渡して、何でもよいから字を書けとのことです。そこで皇帝はその棒で地面に一本一の字を書きました。とたんに店の主人は顔色を変えて飛び下がり、地面にひれ伏して叫びました。

「これは皇帝陛下様、知らないこととはいえ、大変失礼申し上げました」

皇帝はあっけにとられましたが聞いてみました。
「なんでわかったのじゃ？」
「陛下は土の上に一を書かれました。土の上に一は王となります」

当時グラフォロジーの職業はなかったが、筆相占いという職業があったらしいと辛うじてわかるのです。日本でも中部地方に「墨色占い」と言って筆に墨をつけ一の字を一本書かせ、その墨相を見て占う人がいたという本を読んだこともあります。

東洋におけるグラフォロジーはこれまで学問的といえるものはなかったといってよいでしょう。

西洋のグラフォロジーの本に、「中国や日本、それからヘブライやアラブ等の国々の文字は、ラテン等の文字とタイプが異なっているが、筆跡診断士にとって、その診断はそれほど難しいものでもない。どの国の文字でも、字の大きさ、筆圧、余白など、基本的には診断上考え得る範囲のあり方を取っている」と述べられている例もあります。

文字を書き進む方向の違いは深層心理にも影響する？

第三章、章法のところで説明しましたが、日本や中国の文字は本来縦書き、西洋の文字は横書きで、その違いは、縦書きの筆跡なら紙面ごと左方へ九十度回転させることで、天の「あき」は左へどれだけつまっているか、縦書きでの行が中央寄りとか、行下部右ずれ型は横書きで行が上部寄りか、行の右方が上部へずれているのかと転換して考えることも可能のようです。「天あき」に相当することなどでは、それである程度納得可能なものもありますが、日本の書家で筆跡学者とも言える石川九楊氏が漢字圏の言葉と文字の関係を「縦に書き、横に話す」とし、ローマ字圏では「縦に話し、横に書く」と両圏の文化構造の違いを述べていますが、面白い見方だと思います。

なお縦書きか横書きかについては、これから書き進んでいく空間の方向が関係するところが大きいと思われます。縦書きでは右肩から書き始め、行が次第に左に移り、左下方の空間はこれから書き進んでいく未来

コラム❷

を表し、すでに書き終えた右側は過去に属します。そして右手で書く人にとっては、右側の過去はペンあるいは筆を持つ右手に隠れて見えませんが、左側の未来の空間は常に視野に入っています。この未来の空間が無意識下にせよ常に視野の中にあって書き進んでいるということは、これから書く文章、書く字のあり方に何らかの影響を与えている可能性を考えてもよいのではないでしょうか。

その点で、左から右へ書き進み、行が上から下へ移っていく横書きでは、右手で書く人にとっては、これまで書いてきた過去は全て目に映っています。ただこれから書き進む余白の空間はペンを持つ手の陰に隠れて、書いている途中で全体が目に映りません。深層心理としては、過去を踏まえた進行ということが縦書きよりもより強く影響していそうです。

縦書きが未来思考、横書きは過去を重点などと決めつけるものではありません。しかし深層心理のもたらす影響として次のようなことを心得ておくべきでしょう。

〝斜めに傾く字〟をどう読み解くか

ローマ字のグラフォロジーの重要筆跡特徴としてスラント（ＳＬＡＮＴ＝傾斜）という言葉があります。筆記体のローマ字が、左か右かどちらへ傾斜しているのかということです。日本の学校でも英語の授業のごく初期に筆記体のローマ字を教わって、標準例としては右へ傾いている書き方は誰しも学んだ経験があるでしょう。標準体としては右傾型なので、左傾型の字は日本人には珍しいかもしれませんが、実際の英米人には左傾型や直立型の人も結構多いのです（ヒラリー・クリントン氏の署名は直立型でした）。

そして字の傾斜による性格は、基本的に右傾型の人は外交的あるいは積極的、左傾型の人は内向的あるいは消極的。そして直立型が冷静で中庸というのが西洋のグラフォロジーのようです。なぜそのようなことがいえるのか。残念ながら言及した本は見当たらなかったのですが、それぞれの本に傾斜度が何度で外交性や内向性がどのレベルというようなことは比較的詳しく書いてありました。

ところで字の傾きは、日本の筆跡心理学では深層心理と関係して解釈することができると思います。傾くということは人間の身体の傾きと同じに捉えてよいはずです。そして身体が前方に傾く時は一歩前へ踏み出そうとする姿勢で、行動的、積極的な姿勢といってよいでしょう。左から右へ傾くのは書いていく進行方向に向って傾くのですから、積極的で行動的人間性がそのように書かせる可能性が考えられるべきです。反対に左へ傾くのは積極的に前進しようとするより、躊躇する、身が引ける、慎重に、等の感覚がそうさせるものではないでしょうか。

左から右への横書きのローマ字に対し、日本の文字は本来上から下、右から左への縦書きです。という運筆方向の違いを考慮すると、字の左への傾きは左傾型ローマ字の内向性、消極的ではなく、むしろ積極性要素が出てくるように思われます。反対に右へ傾くとのけぞり型になり不安感をもたらす字になります。

この右傾・左傾というのは、現に進行している行動の中での進行を深層心理が押し進めようと働くものか、引き止めようと働くものかの違いが強く出ると思われるのです。ローマ字の筆記体はそれにズバリ相当しますが、日本の縦書きの書き方で、未来は左下方向に対して力関係を持って働くかどうか、横書きと同列での評価は無理のように思えます。縦書きの場合では、書いている途中での力関係よりも、むしろ、書き終えたあと、次に書く字の上部に位置し、自然にその全体像が目に映ってくる感覚のほうが性格と関係するところが強いのではないでしょうか。

すなわち、前に書き終えた字が左へ傾斜気味になっているのを許容する感覚の持ち主、反対に右へ傾いているのを許容し、あるいはそれが自分に合っていると、意識しなくても深層心理で許容する感覚の持ち主、この違いが人間性の違いで、それ相応に日常行動の内容にも違いが出てくるとするのが私の筆跡学ないしは筆跡心理学の根本になっています。

コラム❷

漢字圏とローマ字圏とでのグラフォロジーの違いは、他に象形文字か表音文字かという違いの他に、「柔らかい毛筆と手すきの紙」の東洋の文化に対し、「尖ったペンとすべすべの紙」という西洋紙の違いも影響しているでしょう。

しかし最も大きな違いは、やはり文字数の差からくる形態上の範囲の違いと縦書き、横書きの運筆方向の違いといってよいでしょう。

形態上の違いから見ると、漢字の場合は縦横斜めの全方向に線が伸び、字中空間のあり方も多彩です。絵画で言えば油絵や水彩画のように数多くの絵具を使って描くようなものでしょうか。それに対して、ローマ字では二十六しかない文字ですべてを表すわけですから、絵でいうなら、水墨画に譬えてよいのではないかと思います。

そして縦書きで右から左、横書きで左から右へ書くとすると、横書きの常に過去に立脚した実証性、科学性の強い西洋文明に対し、縦書き文明では、本質的には精神世界へ入り込みやすさがあるのかもしれません。

いずれの書き方にも長短はあります。ただ縦書きでも横書きでも大きな抵抗なく書き得る日本の文字は、両方の長所をうまく身につけるようにすれば新しい時代を切り開く基礎工事となるかもしれません。

そのようなことを考えると、太平洋戦争敗戦後、GHQの意向もあってかなり縦書きから横書きへの移行が進んだ感のある日本の文字事情も、これからの日本にとってはおそらく吉と思えます。仮に逆の立場となって、ローマ字圏の人々に縦書きを強制し、英語の本が全て縦書きになり、繁華街のローマ字の看板が縦書きで並び、人々が皆英語を縦書きで書いているところを想像すると、どんな新文明が育ったであろうかと愉快な気もします。

このように、可能性は様々あるわけですから、私達は縦書き、横書き等の固定した枠に縛られず前方を見つめたいものだと思います。

第四章

筆跡学の活かし方

~心を映す行動の設計図として

1　筆跡と行動傾向と心理の関係

診断が役に立つ理由

さて、この章ではここまで詳しくお伝えしてきた筆跡研究の具体的な活かし方について簡単に触れてみることにしましょう。

まず最初に、私が長年取り組んできた筆跡診断というものが何を狙いにしているかということを改めて確認するところから始めたいと思います。筆跡診断によって何がわかるのか、そのことが明確になれば、皆さんの中で筆跡の研究が活かされる具体的な場面がよりはっきりしてくるのではないでしょうか。

「筆跡診断をしてもらいたいのですが、やはり綺麗な字で書いたほうがいいのでしょうか？」

初めて筆跡診断を受ける方からこういう質問をいただくことがあります。

人に見せる文字ですからいつもより丁寧に書きたい、綺麗な字のほうがいいのではないか、という心理が働くことはよくわかりますが、私はたいていこんなふうにお答えすることにしています。

「筆跡診断は字が綺麗かどうかとか、上手かどうかを見るものではありませんから、ふだん書き慣れている書き方でいいですよ」

そう聞くと皆さんほっとされるようですが、これは本当のことで、筆跡診断というのは、これまでもお話ししてきたように、文字を美的な観点から評価判断するものではなく、筆跡特徴と行動傾向には強い関連性があるという実証データを元に編み出された「筆跡からその人の行動傾向を読み取る」という技術であり方法なのです。

後で改めて触れますが、筆跡特徴として相関関係が認められるこのような行動傾向に大きな影響を与えているものを私は「無意識下の行動管理機能」と呼んでいます。「無意識下」というのは、一般的には深層心理と呼ばれている、ふだん私たちは意識できない心のあり方を指していますが、興味深いことに、この深層心理と筆跡特徴の関係は、一方通行ではなく、お互いに影響し合う関係にある――つまり、「深層心理は筆跡特徴に影響を与える」と同時に、「筆跡特徴の変化も深層心理に影響を与える」関係にあるということです。

「筆跡の最大にして最強の特色は全て記録され残ることである」と私が考える大きな理由がここにあります。ふだんの行動はビデオにでも撮っておかない限りその都度消えていきますが、行動傾向と深い相関関係をもつ筆跡は残りますから、いつでもじっくり検討して分析することができるということです。

そして、そのようにして分析された筆跡特徴と行動傾向の関係は、皆さんがご自分の性格や行動傾向を「こういうふうにしたい」「このように変えたい」と思った時に、科学的根拠のある指針として必ずや役立つことになるでしょう。

「都」の字から、皆さんの行動傾向を読み解いてみましょう

第二章左ばらい長突出型の項（85頁）で、「左ばらい」を非常に長く書く人は、目立ちたがり屋で派手好みの傾向があると述べました。

この筆跡特徴と行動傾向の関係は、皆さん、自分の知り合いの人の実例を思い浮べて納得する人が多いのですが、なぜそういえるのかについては、これまでそのような統計もなかったし、

理論的に解説した本もなかったというのが実情です。筆跡特徴と行動傾向の関係を日常生活に活かそうとしても、頼りになる理論がなかったわけですから、活かしようがなかったともいえます。

しかし、本書を読まれた皆さんは、これからは違いますよ、ということを証明するために、「都」の字を例にとって、理論的に説明してみましょう。皆さんもぜひ、枠に書いてみてください。

第四画左ばらいを書く時、大部分の人は枠の中に納める書き方をします。それを枠を突き破った左下方向へぐんと長くはみ出して書く人がいます。そんな字は目立ちます。「都」の字以外に「左」「広」「村」等その他「左ばらい」のある字は沢山あり、それらの多くを人並以上の長さで書くとすれば、その人は「左ばらい」を長く書くことが平素の習慣になっていると思われます。

多くの人は枠を突き破ってまで長く書くことに抵抗を覚えるでしょう。仮に長めになりそうだとしてもストップがかかり枠内に納める人が大半で、かつそれを意識下ではなく、無意識の管理機能のもとに制御しているのではないかと推察されます。

それにもかかわらず、枠を突き破る書き方を、たまたまその時だけでなく繰り返し、しかも自覚しないまま許容させているということはそれが自然で、むしろ枠を破っての突出がない書き方にはかえって物足らなく感じるという心の態勢があるからではないでしょうか。

つまり左ばらい長突出型の書き方をする人は、その無意識の行動傾向に、人に見られて目立つ、派手なやり方をするのに馴染んでおり、それが性に合っているということを表しているのではないでしょうか。

「なぜ左ばらいを長く書く人は、日常生活で派手好み・目立ちたがりの傾向があるのか？」と疑問に思われる方もいると思います。

目立ちたがりとか派手好みというのは形容ですから、どのようなケースで、範囲はどの程度までと定義されたものではないといえるでしょう。同様に「左ばらい」の長さにしても、都の字をいつも枠のある原稿用紙に書くわけでなく、「どこからが〝長い〟と科学的にいえるのか」となりそうです。

科学は数字のように細部まで明快なものばかりではありません。物理学にしても現代では不確定性原理が基礎になっているように、生命現象を取り扱う学問分野においては、ある程度あいまいなものを基部において、その上に合理的な体系を築き上げるのも科学的ともいえるのではないでしょうか。

筆跡診断の科学性を高める実習の方法

私は文学部出身なので、科学の定義に関しては明るくないほうですが、それにもかかわらず本書の標題を「筆跡の科学」としました。昔から「書は人なり」で通ってきた筆跡と人間との関係を、明快な基準によって類別した上で体系化し、さらに、数量化可能なものはできるだけ数量化することを研究の基本方針にしたいと思ったからです。

筆跡診断の科学性を高めるためには、理論を土台とした実習が欠かせません。その実習の方法の一部をここでご紹介しましょう。

私は筆跡診断士養成セミナーの教室を主催しており、ハイレベルの研究科コースでは毎月三十名程度ずつ二クラスの研究生が診断実習を続けています。実習は、研究生のうちの一人が、自分の知人が書いたはがきの宛名書筆跡を提供し、他の生徒達がその筆跡から書いた人の人間像を推定した回答を提出するのです。回答には三百字程度の診断内容が記されています。

回答が集まると私が回答者名を消して番号のみ付し、少し縮少して何枚かの用紙にまとめます。各答案がどの程度当たっているものか採点に入るのですが、採点者は書いた人本人、およびその本人の奥さん（あるいはご主人）、家族、友人、勤務先の同僚等、つまり長年の付き合いで本人をよく知っている人です。筆跡上の知識には関係なく、本人の実際をよく表しているものに高い点、違っていれば低い点をつけることにしています。

これまで何年かにわたり続けてきましたが、研究生のレベルは格段に向上し、採点者達からこんなに当たるものかとよく褒め言葉を頂いています。回答の中でよく当たっているところの横には赤線、違っているところの横に青線を引いてもらっているのですが、筆跡の中に例えばとても長い「左ばらい」の字があると、研究生は「派手好み」や「目立ちたがり」と人間像を書きます。すると採点者の人からその横に「当たっている！」の印の赤線が引かれて戻ってくるのです。

筆跡診断をする人は筆跡の書き手を知らないこと、採点者は逆に筆跡の書き手をよく知っていること、この二つの条件が成り立っていることを前提にした実習であることを考えると、この実習の成果は筆跡特徴とその書き方をする人の行動傾向が密接にかかわり合う一つの証明であるといえるでしょう。

筆跡診断採点において留意しておきたいことは、採点者が家族であるか、会社の同僚であるかの相違により評価内容がかなり異なる場合が多いということです。例えば会社の同僚など複数者が「協調性に富み明るい」と書いてある箇所に「当たっている」という印の赤線を引いているのに対し、奥さんや子供は青線を引いていることがよくあるのでした。

これはつまり、書いた当人の会社での行動のあり方と家でのあり方に相違があるとも考えられます。会社ではよく喋るが、家では気難しいという人もいます。

各字が大きめか小さめか、縦線等突出が長型か普通か、控え目型かで差が生じたりまた採点者でも、配偶者、親、子どもの間では採点結果がかなりわかれたりもします。筆跡特徴はさまざまありますから、より科学的な証明として提出できる段階になるまで客観的なデータを十分に積み上げていきたいと思っています。

診断結果の当否の科学的判定は単純なものではありません。それは医学での病気の診断の当否の判定とも通じるところがありそうです。

筆跡は変わり得るところに妙があります

筆跡の診断を長年していて強く思うことは、「性格とは生まれつきのものだ」と思い込んで疑うことをしない人がいかに多いことか！ということです。

性格とは人それぞれがもって生まれた気質や体質の上に、後天的に身に付けた行動傾向が加味されたあり方のことであり、後天的な要素が含まれているということは変化可能を意味するのです。そこで書くたびに目に見える形で残されていく筆跡――書く人固有の特性が現れている――という行動の記録が大きな意味を持ってきます。

さて、先ほど筆跡診断の実習例をご紹介しましたが、診断によって、筆跡特徴がわかり、それに対応する特定の行動傾向が見えてきたら、どのようにしたらいいのでしょうか。「この筆跡特徴のある人はこういう行動傾向がある」と認めたとして、次の段階は、ではその人の筆跡特徴がもし変化したら、行動傾向は変わるのかどうかということです。またいったん身に付いた筆跡特徴は変わり得るだろうかということも重要となってきます。

最初に断定して出発します。

「筆跡特徴は変わります！」

筆跡特徴も一つの人間の行動の特徴です。行動の特徴とは行動にあるパターンができていることです。パターンは、同じ行動が繰り返されることにより徐々に抵抗の少ないあり方になって、定着してきたものです。

筆跡の変化は川の流れのようなものともいえます。雨や雪解け水が低いほうへと流れ、川になります。他の流れと合流すると勢いを増し、邪魔なところは押し流して流れを良くします。大きな岩など強力な抵抗があると流れは変化を起こします。しかし長い年月の間には、その岩ですら削られていくこともあるでしょうし、地震などで新しい突起ができてくるかもしれません。人間が灌漑によって流れを変えることもあります。川の流れは不変ではありません。

筆跡特徴も年齢や職業等により抵抗状況が変化すれば、その影響を受けることになるでしょう。灌漑のように意図的に変化させることも当然あり得ます。ただ治水工事が人類の歴史の中で大工事であり難工事であったように、筆跡特徴を変えることも、そう簡単なことではありません。厳密に言えば、筆跡を変えることは誰にでもできます。むずかしいのはそれを自分の〝筆跡特徴〟にできるかどうか、つまり新たな筆癖を無意識的に書けるようになるまでには、岩を削るごとく、ある程度の時間は要するということなのです。

しかし、筆跡特徴を自分にとって望ましいあり方に変えることが可能であるならば、計画的に適切にそれに対処することがいかに実りの大きいものもたらす可能性となるか。もしかしたらそれは、皆さんの想像をはるかに超えるものになるかもしれません。

次の項では中国の故事を紹介しながら、筆跡を変えることがもたらす効果を示してみたいと思います。

舜《しゅん》の時代の黄河の治水法

文明は大河の流域で発達しました。氾濫を防ぎ、大河の水を引いて農業用水路を作り、その恩恵で生活が豊かになりました。

中国古代、伝説の時代になるのですが、「堯《ぎょう》」「舜《しゅん》」「禹《う》」という聖帝の時代がありました。舜の時代に黄河が大氾濫し、広大な地域が水没しいつまでも水が引かず、国民が悲惨な状態に陥ったそうです。舜は禹に命じて抜本的な治水対策を取らせました。禹は広大な中国を隈無くまわり、外を歩くこと十三年。たまたま家の前を通ることがあっても家には立ち寄らないという刻励ぶりでした。

禹は前任者とは対照的な治水方法を取りました。前任者は堤防を高くすることで水が溢れないようにすることが中心でしたが、堤防が決壊すると被害は一層大きくなりました。禹は水を溢れないよう防ぐのではなく、より低いほうへ流す道をつけることを第一とした対策を取りました。さらには乾燥した不毛の地に水を引き耕地としたことで、そこに産物が実りました。水はけがよくなるとともに土地の人々が豊かになりました。

禹は舜の臣下で血のつながりはなかったのですが、舜は禹に帝位を譲ろうとし、人民もそれを望んだので禹はついにそれを受け、ついで中国で最初となる「夏《か》」という国名をつけて初代皇帝となったのでした。

川の流れを自然のままにまかせていた時代から、溢れがちの所は川幅を広くし、あるいは支流を作り、これまで水不足だったところに水を引いて耕地化し、人類は文明への道を進むようになりました。

中国のこの故事と筆跡とはだいぶ違うように思われるかもしれませんが、人間の行動も、

「ここではこう流れる」という各人固有の型で動いており、その行動の流れが図面化して表わされたのが筆跡といえるのではないかと思うのです。溢れる箇所があれば水をはかせ、堤防を作り、水が不足するところには水路を引く治水のように、人間の行動も自然のままにまかせるのでなく改善へ、よりよい方向への建設の努力があってしかるべきではないでしょうか。

そのいわば〝設計図〟として、筆跡があります。

筆跡のよりよい〝設計図〟を考えるために。
「意識」と「無意識」の関係を読み解いてみましょう

南極圏や北極圏の海には氷山が浮いていますが、意識と無意識の関係はよくこの氷山に例えられます。氷山の比重は海水よりやや軽く、海面上に浮いて見える部分に対し海面下の見えない部分は九倍近くの大きさということです。そして人間の心は意識が氷山の見える部分、無意識は氷山の水面下の領域に相当し、ずっと巨大なのだとされています。

そういうものかとわかったような気がしますが、それでは意識とは何か、無意識とは何かといわれるとよくわかりません。とくに無意識の「無」の意味は不鮮明です。

ただ筆跡を科学的に分析する上では、意識と無意識の違いと領域の区別をはっきりしてかからねばなりません。具体的には次の通りです。

仮に「東京都」と書くとします。「東」から順番に書き始めるわけですが、書いている途中は今何の字を書いているのかわかっているはずです。それが意識の領域です。

ところが実際に書き始めると、これから第一画、ついで第二画と意識することなどなく手がどんどん動いて書き進んでいきます。この横線の長さをこのあたりの位置からこのあたりまで、どのくらいの長さに書く等は意識が関知しないことで、無意識にまかせっきりで字を書くという行動が成り立っているのです。そして無意識にまかせた行動はいつ書いても安定してほぼ同じです。

このように安定したあり方となるのは、その書き方の型ができていることを意味します。「東」の次に「京」に移り、続いて「都」に移る。その移り際においてもとくに意識することなく手は無意識に動いて次の字となっているでしょう。「東京都」などと長い年月の間に多数書いてきている字はそれぞれの字の大小、位置関係等書く人によって、固有の安定した型ができていることでしょう。どうやら型ができ上がっている行動は無意識の領域のものであるようです。

もし「東京都」のかわりに「仏蘭西」と書けと言われたら、書き慣れている人など少なく、とくに難しい字でなくてもすらすら書きにくいでしょう。この字を書くにあたっては無意識まかせではなく、かなり意識の参加が必要と思われます。

これは字を書くことにとどまらず人間の行動全般に当てはまるはずで、結局、行動における意識と無意識の関係は、初めてのこと、慣れないこと等については意識の判断、指令のもとの行動となり、何度も繰り返されて型ができているものは無意識の縄張りに入ってくることになるのです。

人間は平素常に意識して行動しているつもりですが、実は九九％以上無意識任せではないでしょうか。日常の行動の大部分は何度も経験済み、無意識が上手く管理してくれていることが多いものです。

ある文章を書く時、例えば私が今この本の原稿を書いている時、原稿自体は新しく書き進めているものながら、中に出てくる言葉、あるいは言葉の組み合わせは、全体としては初めての文章であっても部分的には書き慣れたものが多くあります。それでペンはすらすら進みます。その他の日常行動も大部分これまで馴染んだやり方の組み合わせのはずで、だからこそ、誰しものびのびと行動できているのです。

従って人間の日常行動に表れる安定してよく出てくる傾向はすなわちその人に定着した型で、

その人の人間性とか性格と認識されるものになっており、同時にその行動傾向と対比される筆跡特徴がこれも安定したあり方を示しているとするならば、そこに筆跡特徴と性格との関係がはっきり証拠立てられることになるとしてよいでしょう。

さらに「無意識」と「深層心理」の関係をていねいに見ていくと……

「無意識」とよく似た使われ方をする言葉に「深層心理」があります。

辞書で、言葉の出処と思われる「深層心理学」の項を引いてみると、「人間の精神活動のうち意識されていない心的領域、すなわち無意識を研究する心理学」というような説明が出てきますから、つまり無意識と深層心理は同じことのように思えますが、「無意識でこうだ」というのと、「深層心理がこうだ」というのとでは、伝わってくる印象がだいぶ違います。

深層心理という言葉からは、何かわれわれの心の奥底に潜んでいる不可解なもの、不条理なもの、おぞましいものという感覚が呼び起こされます。トラウマとか、幼時期の嫌な体験、恐怖体験等も連想します。一方無意識は何もないということだけです。

深層心理学が世に広まったのはフロイトやユングの精神分析学が発端のようです。フロイトは人間の行動の根源的なものとしてリビドー（欲望とか衝動の意味）を挙げ、そのリビドーが無意識下すなわち深層心理から意識に出てくる時の様々の葛藤を理論体系としたもののようですが、その例としてエディプス・コンプレックスを挙げています。これは、父と知らずに父を殺し、母と結婚したテーベの王エディプスのギリシャ神話の悲劇から取ったフロイトの造語だそうですが、男性には深層心理に父を憎しみ母を愛したいリビドーがあり、そしてそれはまた人間として許されるべきことでないので抑圧を生じ葛藤となり、神経症等の原因となっていくらしいのです。

どうも精神分析は健康体よりも病気にかかわる比率が強く、そのせいで深層心理という言葉も恐い感じがするのかもしれません。

しかし深層心理の底にエネルギーを伴うリビドーがあるということは注目できます。

筆跡で固有の筆跡特徴が出るのは「無意識下の行動管理機能」が働くからだとしています。単に「無意識」といった場合は「意識がない」ということを示すだけですが、人間には意識がある部分と意識がない部分が共存しているとしてもいいわけで、その無意識部分の中に所属する行動管理機能を深層心理と称することもできそうに思われます。

ただ無意識の行動管理機能が発揮されるのは大部分、深層ではなく、浅層のものといってよいでしょう。木へんを書いて縦線頭部の突出を控え目気味に書くことに深刻なことは考えにくく、そこを長めに書こうとして抵抗感があったとしても抑圧というには大げさです。平素洋服を着る時左手を先に通すことが多いところ、右から先に通したからといってストレスが生じることもなさそうです。

しかし他の要因が動かない限り平素の習慣通りに行動管理機能が働いています。常に無意識下にあるのでつまり深層心理です。

いつも左手から先に通すというような浅層の無意識下で管理していそうなことでも、長年にわたり繰り返し、例えば五十年間一回も右から先に通したことがなかったとすると、その行動の型はかなり固定化し奥深くなっているかもしれません。また、木へんの縦線頭部の突出で、以前から長大突出型でかつグループ内ではリーダーの立場にいたところ、何らかの屈辱的な事件があって、以降リーダーの立場を降りてしまい、いつも人の後にいるようになり、書く字も頭部突出控え目型になってしまったとするならば、その屈辱的事件は、木へん第二画縦線頭部を書く時の行動管理機能、すなわち深層心理に強い傷跡を残しているかもしれません。

ただ、心理というのは目に見えないものですから、行動傾向との因果関係を客観的に示すということにおいては難しい面があります。

二千四百年も前のギリシャの哲学者デモクリトスが、

「甘いと苦い、寒いと暖かい、またあらゆる色、これらすべてのものは考えのなかのみで存在するのであり、実際にあるわけではない」

と言ったそうです。

そうした難しさを認めながらも、より科学的に蓋然性のある理論へと筆跡学を高めていくことが私を含め、これからの筆跡研究者の責務です。ではこの節の締めくくりに、筆跡にかかわる意識・無意識・深層心理の領域を図示しておきます。

このようにして、行動傾向と心理との関係を理解することは、筆跡を日常生活に活かすためにも役立つことですので、皆さんご自身の経験を研究材料として、さらに理解を深めていただけたらと思います。

氷山に譬えた心の構成

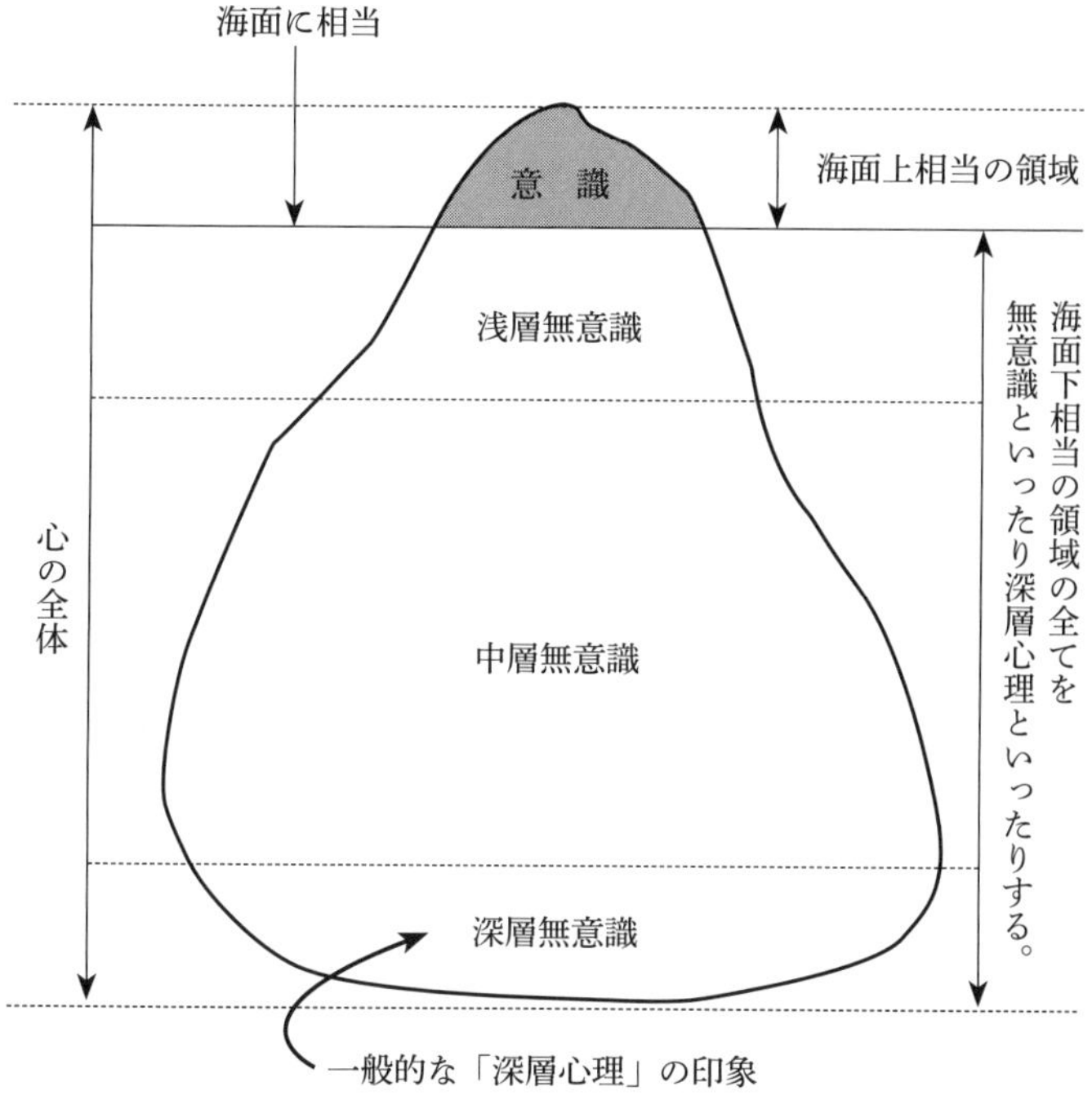
海面に相当
意　識
海面上相当の領域
浅層無意識
中層無意識
深層無意識
心の全体
海面下相当の領域の全てを無意識といったり深層心理といったりする。
一般的な「深層心理」の印象

2 心のサプリメントとして

「心の健康」が関心を呼ぶ時代を迎えて

ビタミン剤や健康食品など、健康維持効果を期待して摂取するサプリメントと称するものが数多く出まわっています。同様の目的から、様々な身体運動系の施設もあちらこちらで見かけるようになりました。それらが流行るということは、当然それを利用し、そのためにお金を払う人が多くなっていることを意味します。

ただ人間は肉体的健康だけを考えていればよいわけでなく、心の健康も劣らず大切なはずです。肉体的な栄養障害の場合はわかりやすく、絶対量が少なければ栄養失調、栄養過多だとメタボ。ビタミンB_1不足なら脚気。カルシウム不足だと骨粗鬆症。結果がはっきり出てきます。

その場合、例えばビタミンB_1不足ならサプリメントの補給で劇的に回復するでしょう。何十年か前、知識が一般にいきわたっていなかった頃に多発していた数々の病気が、サプリメントの普及とともにすっかり影をひそめました。心の栄養障害でも同じことがいえると思うのです。

「筆跡の科学」を「心のサプリメント」に

心の栄養面では、最近の子供達には、昔は全く知られていなかった環境に取り囲まれている中での、未知の危険も多いのではないでしょうか？

電車の中で見かける若い人達がほとんど携帯を手にして見入っている様子、友達と外で遊ぶより家でテレビゲームをしている時間が長いという話。食べるものはスナック菓子、インスタント食品。科学が発達し、昔とは異なる新しい環境での生活が良い点もあるのでしょうが、どこかで何かが不足するという危険性にも注意することが大事だと思います。

そうして、昔はなかった危険性の一端を感じたとすると、昔の生活様式に戻れば回復するかもしれませんが、それは無理として、現在を肯定して対策を考えるとすると、そこに特定栄養障害面でのビタミン等に相当する心のサプリメントを考えるべきだと思います。

ところが、心の健康面では、目に見える効果の出た対策というのを耳にしません。近年の自殺者は、わが国では減少傾向にあるものの毎年二万人を超えています。理由はあるのでしょうが、心因的対策上の特効薬とまでいえなくとも、この場合にこんな処方というようなもっと誰にでもわかる対処法が出てきてもよいはずです。

そこで私は「筆跡の科学の活用」をおすすめします。

字の癖が変わるのに約六ヶ月かかりますが、筆跡が変わったおかげで心の状態も変わったという事例がたくさんあります

「筆跡の科学の活用」がなぜ「心のサプリメント」になるのかというと、この章の冒頭でお話ししたように、筆跡と深層心理とは相互に影響を与え合うものだからです。筆跡を適切な助言にしたがって変えていくことによって、自分が望むような行動傾向が生じてきたという実例報告を私は数多く受け取っています。筆跡を変える（改善する）練習の良いところは、誰でもいつでもできること、お金がかからないこと、そして、薬のような副作用がないことです。まさに「心のサプリメント」としてぴったりの実践法といえます。

一例をあげると、それまでへんとつくりの間を詰めて書いていた人が広く書きたいと相談に

来るケースがよくあります。日常、自分にもっと包容力があるほうが好ましいと感じていて、筆跡の書き方を考えてそうなれるなら、ということからです。

長年身にしみついている癖はそう簡単に変わるものではありません。意識して広く書こうとするとそれは可能であっても、気をほかのことにとられて書いている時には、いつの間にか以前のままのへんとつくりの間が密着した書き方に戻っているのです。

しかし、日本筆跡診断士協会の会員のような、診断士を目指して筆跡の勉強をしている人は、周囲の環境は筆跡にかかわることが多いので、癖を変えようと練習しているにもかかわらず、うっかりへんとつくりの間を狭く書いていることがあっても、すぐ気づくことができます。意識としては包容力のある心を望んでいるので、気がつくとすぐ書き直すようになります。

そんなことを続けてだいたい半年もすると、無意識的に書いていてもいつもへんとつくりの間は広い、という書き方にいつの間にかなっているものです。その結果、他人との付き合い方にも変化が現れ、以前よりずっと穏やかになり、人脈の幅も広がったと感謝されています。

字の書き方を変えて包容力を豊かにしようとすることは、包容力が豊かな人になろうと念じることではありません。包容力が豊かな人は日常どのような行動をすればよいか考え研究して、それをきちんと実行していこうとするようなことでもありません。単に機械的に、これまでへんとつくりの間が狭かったのを広い書き方にして繰り返し書き、それに慣らせればいいだけのことです。

いつかそれに慣れ、馴染むと、へんとつくりの間を広く書いてもそこに外から何か入ってくるのではないかという不安感から開放され、むしろ狭く書くと苦しくなり、広くしてどんどん外からのものを受け入れようという深層心理に変化していきます。これこそ、直接包容力のある心を養おうとするのでなく、その心をうながす深層心理に役立つもの、すなわち、心のビタミンのような作用ではないでしょうか。字の書き方を変化させることによる心の改善は、筆跡改善がサプリメントの役割を持っているといってよいのではないか。筆跡を改善することで変化してきた人をたくさん見てきた私は、そう思えてならないのです。

さらにはこのサプリメントは、「縦線頭部突出」を長めに書くことに慣れて、人前に立っても物怖じしない心を養ったり、字と字の間をつめて書くのを少し間を広くする方向に習慣づけてせっかちを改善したり、「下部接筆開」の習慣を閉にして、つい無駄遣いしてさっぱりお金がたまらない生活を改善する等、実に数多くの処方があるのです。

それらはすべて、物怖じしないよう努めようとか、無駄遣いせずがまんしようとかの直接的努力というわけではありません。字の書き方を変えることによって、深層心理が変化するというのは、行動傾向の根本を変える、いわば質的改善です。食事でいえば野菜嫌いでビタミンC不足の人に、無理やり野菜を食べさせるのでなく、野菜が好きになるよう、料理を工夫するなどして食べ物の嗜好性を根本的に変えることに似ているかもしれません。

治山治水が文明を育てたように、「治筆」が文明を育てる21世紀へ

治山治水という言葉があります。自然のままに放置するのでなく、裸山には木を植え、氾濫する川には堤防を築き、灌漑用水を引き、水流をよくして人間の生活に役立てることです。大雨や早魃による自然の猛威は凄まじく、これを克服する人間の努力は涙ぐましいものでした。それを乗り越えて現代文明があるのだと思います。世界の四大文明の発祥地は、チグリス・ユーフラテス川、ナイル川、黄河、ガンジス川の大河流域とされています。

大河でなくとも、古代人は小川の流れを畑に引く工夫をしたり、溢れやすいところに土砂を盛り上げる工夫をしたことでしょう。四国の香川県に金倉川という川がありますが、雨が少なく、下流では降ると洪水になりやすい地域でした。それを今から千二百年前、弘法大師（空海）

が上流に満濃池というダムを造り、それから以降、下流地帯は肥沃な穀倉地帯となって千二百年の恩恵を受け続けてきています。

　万物は流転していきます。ギリシャの哲学者ヘラクレイトスの言葉です。その流転の仕方が同じような形で繰り返されていくと、型ができてきます。川の流れも初めはとくに水路もなく、高いところから低いところへ流れていたのでしょうが、そのうち固定した川（川も水の流れる型の一つです）となっていきました。それはそれでよく、その川の流域には植物が育ち、動物が繁殖しました。人類もその一種族です。

　他の動物・植物は、全て自然にまかせ、自然に従っていたのですが、人類だけは、ここはこうなったほうがよいと考え工夫するようになりました。文明の一つの出発点です。現代では洪水予防の堤防だけでなく、大規模ダムがいたるところに造られつつあります（もっとも最近では不要ダムを造り過ぎと政治問題にもなっているようですが）。

　文明が発達すると、自然のままでよいものと、改良するところとが当然生じてきます。仮にある村の小川で何かのきっかけで川幅が狭くなり、流れが溢れるようになったとすると、関係する村人達はすぐに川幅を狭くしたものを取り除くとか、代りの水路を造るかして氾濫を防ぐでしょう。そのまま放っておくということはないのです。

ところが物質的な問題にはそのようにすぐ反応しても、心の問題への反応はどうも遅いのではないかと感じるのです。

川の流れは自然の中で型ができてきますが、人間の日常行動も流れのうちに、これまた型ができてきます。例えば遅刻する習慣がついてしまっている人は、本人の本意ではないのでしょうが、直ったという話はあまり聞きません。どのような手当をすればよいのかわからないのかもしれませんが、これは物質的なことに対する科学的な対策はすぐ講じられる人間が、心が対象の場合にはお手上げになってしまう場合が多いということの例証でしょう。

そこで筆跡学が登場することになります。

東洋も西洋も、古代から現代にかけて物質文明は目覚ましい発展をしましたが、精神文明はほとんど変わっていない。むしろ昔のほうが高度だったということもよく聞きます。物質文明は今や宇宙空間への道を開けようとし、ＩＴ技術の発達もとどまることを知りません。精神文明との格差は広がるばかりです。

二十一世紀は〝心の科学〟にもっと踏み込むべきではないでしょうか。その方向、手段の一つとして筆跡学を活用してもらいたいと思うのです。私は「治筆文明」という言葉が一般に定着することを心から望むものです。

筆跡鑑定について

「筆跡診断」と「筆跡鑑定」は全く別物？

以前『日経エンタテイメント』というビジネス誌に、「血液型番組騒動で現場は今・次の有望ネタは筆跡鑑定?」との記事が出ていたことがありました。

タイトルに入っていた血液型番組での騒動というのは、血液型と性格との関係は科学的根拠がないというのが近年の定説となっているのにもかかわらず、テレビの血液型番組が高視聴率を取り続けた結果、「子供が血液型を理由にいじめにあう」などクレームが視聴者から寄せられたというもので、血液型に代わる最近の有望株が「筆跡鑑定」であり、すでに視聴率が上がった例も出ている、と位置づけていました。

日経新聞では、それ以前にも筆跡診断に関する海外のニュースなどを二、三取り上げてくれたことがあり、同紙の筆跡研究に対する関心の高さを嬉しく思っていたですが、残念なことが一つありました。それは、「筆跡診断」または「グラフォロジー」と表現すべきところを「筆跡鑑定」としていたことです。よく似た言葉ではありますが、「鑑定」と「診断」とは実は全く別のものなのです。

辞書を引くと、「鑑定」は、物の真偽に、良否などを見定めることとあります。テレビ番組、先祖伝来の秘蔵品や骨董品などを「お宝」と称して鑑定して、百万円相当だとか二万円だとか金額での評価をするものがありますが、これは「鑑定」でいいのです。

筆跡の場合、「筆跡鑑定」となると、「この遺言書は本物か偽物か」とか、犯人が残した筆跡と容疑者の筆跡が合致するかどうか等、裁判がらみのケースか、古文書、書作品等の芸術的、骨董的価値の判定ということになります。

筆跡の診断とは、筆跡に表れた特徴を見て、そのような特徴の出る人の行動傾向は、字を書く以外の他の行動ではこうだろうと推定することです。それは血圧がこの値ならこういうことが予想されるとか、視力がこうだからこの仕事に向いているとか、そんなことに相当しそうです。

コラム❸

間違いは日本以外でも……

ただ鑑定と診断とを間違えるのは日本だけではないようです。フランス筆跡診断士協会発行のラ・グラフォロジーに発表された論文の中に、一〇四名の人に手紙調査をしたところ、グラフォロジーを司法的な筆跡鑑定と一緒にされているという問題点の報告記事がありました。筆跡診断士の資格がほとんど国家資格に近いものになっているフランスにおいてすらこうなのです。

鑑定の言葉を多用するのは、骨董品、美術品とか占い関係の場合が多いようです。先般大阪天満の関西テレビへ出かけた折、その界隈の商店街を歩いてみたところ、運勢鑑定とか風水鑑定の看板をかかげた店が、十五分ほどの間に三軒もありました。関西は占いが盛んなのだなと感じるとともに、鑑定という言葉が与える影響力の大きさを感じさせられたものです。

ヨーロッパも、もともと占いが盛んなところでした。占星術やタロット占いなどよく耳にします。筆跡による性格診断も、フランスのミッション神父がグラフォロジーと命名する前は、単なる筆跡占いでした。

つまり、「筆跡から人の性格や心理を診断する」という研究が、社会的に認められるようになるまでには、長い間の先人の努力があったということです。「筆跡鑑定」か「筆跡診断」かという用語の違いに私がこだわる理由がここにあります。

筆跡鑑定において大切な視点とは

さて、話を筆跡鑑定に戻しますが、ある筆跡があって、それを別の筆跡と比較して両者が同一人の筆跡であるかそれとも別人の筆跡であるかを明らかにするのが筆跡鑑定です。

二つの筆跡を書いた人が同じかどうかということが何よりも優先します。

しかし、現実の筆跡鑑定には心構えだけでは、なんともなし得ない難しさがあります。これまで筆跡鑑定の間違いによる冤罪事件がいくつか生じました。その理由の大部分は技術上の稚拙さだったようですが、基本的には他の血液鑑定とか、DNA鑑定、あるいは指紋鑑定等照会操作だけで済む問題とは異なるところに原因があると私は考えます。

　私は筆跡鑑定人の仕事もしています。もともとは筆跡と人間の行動傾向との関係の研究者だったのですが、三十年ほど前に大きな事件があり、警視庁から筆跡鑑定の依頼がきたのでした。警視庁には科学捜査研究所という筆跡鑑定を扱う機関もあるのですが、他の有識者もということで、大学教授や書家、それと筆跡の専門家ということで私も動員されたのでした。

　この折に私は初めて筆跡鑑定書なるものを作成し、法廷へも出ました。以後警視庁から依頼が続き、関係した弁護士の方、その紹介の方等からも鑑定依頼が来るようになり、現在まで四百七十三件（二〇一九年時点）の正式筆跡鑑定書を作成してきました。

　筆跡鑑定書は、作成依頼人、弁護士を経て裁判所へ提出されることが多く、裁判では原告と被告の両方から異なる鑑定書が出されると、引き続き双方、相手の鑑定書に対する反論書や意見書を出し合い、最終的に裁判所の判決ということになります。

　つまり筆跡鑑定では同じ筆跡を鑑定して、一方の鑑定人が真、他方の鑑定人が偽と鑑定することがよくあるのです。それはどちらかが間違っているということになります。ミスがない限り鑑定結果がほぼそのまま確定的証拠となる他の鑑定（血液鑑定やＤＮＡ鑑定など）と違って、鑑定結果が原告側と被告側との間で食い違った場合、どちらに妥当性があるかどうか、その峻別を厳しく求められるのが筆跡鑑定であり、またそのあたりに筆跡鑑定の核心があると思われます。

筆跡鑑定の将来

古くは平安時代からあった筆跡鑑定

　このコラムの初めに、筆跡診断と筆跡鑑定がよく混同されることに遺憾の意を表してきましたが、両者が敵同士というわけではありません。私自身が筆跡診断士であり、筆跡鑑定人でもあって、相互に利用し合ってきた関係があります。目的が違うので研究とか仕事

コラム❸

の方向、進め方が異なりますが、あるいは医学と生理学の関係のようなものでしょうか。それぞれ内容を高度にしていくためには、双方の知識が不可欠でもあります。

筆跡診断という言葉が目につくようになったのは最近ですが、筆跡鑑定は昔からありました。遡れば平安時代からです。

日本三筆と日本三蹟という言葉があります。いずれも平安時代の能書家と言われる人達で、三筆は嵯峨天皇、空海、橘逸勢で平安前期の人。三蹟は小野道風、藤原佐理、藤原行成で平安中期の人達です。空海・道風の筆跡については第二章で紹介しました。

この中で三蹟の一人道風の書「屏風土代」は皇室御物として、行成書の「白楽天詩巻」は国宝として東京国立博物館に現存しています。そしてこの二つの作品が後世に残ることになった物語があるのです。

物語その一「白楽天詩巻」～藤原行成～

一一五〇年前後の頃、藤原行成の四代の孫にあたる藤原定信の家（彼も当時一流の書家でした）に町人の女房がやって来て、「私の家は代々経師（表具師）をしていますが見て頂きたいものがあるのです」というので出掛けたところ、既に三蹟として名高い道風と行成の逸品でした。

定信はその二点を譲り受けて帰り、入念に調べそれぞれ道風、行成の真蹟として発表しました。当時はまだ行成没後百年あまりの頃で対照比較できる行成や道風の作品も多く残っていたと思われます。そして書風の一致だけでなく、行成の白楽天詩巻末尾に行成の署名はないが、官職名と年齢（四十七歳）が書いてあり、その内容は宮廷の記録を調べて行成その人であることが確認されたのでした。

定信の仕事は、史実に残る筆跡鑑定として嚆矢のようなものだったと言えそうです。

物語その二「屏風土代」〜小野道風〜

道風の屏風土代については（土代とは下書きの意味）、史書『日本紀略』に「延長六年十二月条、大内記大江朝綱に命じて御屏風六帖の題詩を作らせ、小内記道風に之を書かせる」という記録があります。そして定信が手に入れた屏風土代はまさにこの屏風の下書きだったわけです。実際の屏風がどのような書であったか残念ながら残されてはいませんが、土代自体の出来栄えがすばらしく以後大切に保管されてきました。

「折り紙付き」の〝紙〟は鑑定書のことだった？

平安時代から鎌倉時代に移り、武家の支配体制となると荘園等の領有権が文章によって認められることが多くなり、それが代々続くと、先祖から引き継いだものが本物なのか偽物なのかの鑑定が必要となってきました。

さらに時代の進歩と共に文化レベルが上がり、茶の湯が盛んになってくると、茶屋に掛ける茶掛けなどに名筆がもてはやされるようになりました。

高野切とか本阿弥切などの短歌を書いた色紙の軸です。一首一枚ですが、もともとは貼り合わせて本の形式になっていたものを壁に飾るため切り離したようです。そして切り離された結果、大勢の人の所有に分散してしまい、すると誰が書いたものか不明になり、そのうち鑑定家が現れて伝紀貫之や伝藤原行成等と称されるようになったのです（「伝○○」とは、「○○さんの肉筆であると伝えられている」ということであり、その人の文字である確定されているのではないということを意味します）。

こうした鑑定をする人を古筆見（こひつみ）といい、鑑定結果の説明を二つ折りの紙に書いたので、「折り紙つき」という言葉が生まれたりもしました。

筆跡鑑定士の公的認定制度実現を期待して

明治維新になり西洋文化が入り、民法、刑法等の法律ができました。遺言書や連帯保証人の署名欄の筆跡が本物か偽物かの判決を裁判所が下すようになり、脅

コラム❸

迫状の筆跡と容疑者の筆跡の一致不一致の決定の必要性からも経験とか権威だけに頼っていた伝統的鑑定から、科学的な司法鑑定となってきました。

しかしながら江戸時代が終わってから百五十年たち、終戦後からもすでに七十年を経た現在も日本の筆跡鑑定の体制は十分といえないようです。

神戸大学の魚住和晃氏が著書筆跡鑑定ハンドブックの中で次のように指摘されています。現在の日本には、筆跡鑑定士の資格は、国家試験に類するような認定制度ではなく、すべてが自称鑑定士であること、そしてこれらの鑑定士の多くが、前述の科学捜査研究所出身者によって占められていること、つまり、警察を定年退職したあとに、第二の人生としてこの職を開業しているのである――。

これでは例え科学捜査研究所というものものしい肩書きだったとしても、経験と権威の伝統的あり方が旧来の家元制から移っただけのような気もします。

魚住氏はこのようにも言われています。

「また、筆跡鑑定士の公的資格化も実現されなくてはならない。この能力検査の方法はいともたやすい。筆跡の真贋、また一致不一致を鑑定させ、その正答率を判定すれば、その鑑定能力は直ちに判断される。鑑定士の資質が問題にされながら、なぜそれぐらいのことが実現されないのであろうか」と。

私は魚住氏の意見に諸手を挙げて賛成です。筆跡鑑定の将来はあくまで科学的手法での鑑定能力向上にあるはずです。もし公的な認定試験があれば筆跡研究を志す人には大きな励みになり、かつ試験に合格しての筆跡鑑定士が増えていけばレベルは格段に高くなっていくはずだと思います。

筆跡鑑定全般にわたっての私の持論はいろいろあります。また機会を改めて述べさせて頂きたいと思います。

むすびにかえて ～筆跡学と宇宙論がつながる未来への期待

〝感応力〟について

ここまで、筆跡特徴や筆癖などといわれるものが、無意識下の行動管理機能によって表れてくることを述べてきました。そしてその無意識下の行動管理機能こそいわゆる深層心理そのものではないかということと、その機能が働く上で感知・感応の力が作用しているようだと推定してきました。

この感知・感応力は、感じて応ずることで略して〝感応力〟でよいかと思います。そして「力」という語がつくからには科学的に考察しようとすると、ベクトルとか仕事量とかと関係づけないといけないかもしれませんが、当面物理学的に公式化は無理なことでしょう。しかし方向としてはできるだけ自然科学に近づくことを目標とし、最後に筆を進めていきたいと思います。

人間の磨き抜かれた〝感応力〟。寿司職人にも卓球選手にも、囲碁・将棋のプロにも……

第二章、縦線頭部長突出型の項で、鑑真和上の「大」の字のように縦線を横線の上へうんと長く突き出して書こうとすると、ついたじろぐような、足を引っぱられるような感じを受けて、十分長くなる手前で妥協してしまうということを述べました。ここにはともかく「力」を感じます。物理的に妨げる力が働くわけではありません。何もない空間ですが、その空間そのものに力があるような感じです。〝スペース・ダイナミックス〟とでもいえそうです。

第三章の章法、天つまり型の項では、葉書の宛名書きを縦書きで書こうとする時の、郵便番号欄と最初の一字の間の「あき」部分に相当する空間、ここを狭くとる感覚が剣道での間合いをつめる感覚に類似すると述べました。もし真剣を持っての立会いならば決死の覚悟を必要とするでしょう。〝スペース・ダイナミックス〟でも極大のものです。

このように一歩踏み込もうとする時抵抗する力を感じるとすると、それが物理的力でないとしてもその内容に強弱があることは事実で、将来何らかの公式ができるかもしれません。真剣での立会いは極論としても、日常のあらゆる行動はこの〝感応力〟によって行動のあり方が決定付けられていると考えられます。

すなわち机に向かって書きものをしていて消しゴムを取ろうとする、手は丁度消しゴムの位置へ伸ばされてストップし消しゴムをつまむ。どうということのない行為ですが、ちょうどよく消しゴムの位置へ手が伸ばされること、指がちゃんと開いて消しゴムをつまむこと、全て〝感応力〟の働きで無駄なく、間違いなく行動されているのです。

手を伸ばして物を取る行動は生まれてから数限りなく訓練されてきています。赤ちゃんが近くにあるものは何でもすぐ手にしようとし、しかも一発でうまくゆかずにかなりあてずっぽう的に手を伸ばしている光景をよく見かけます。その限りない繰り返しで〝感応力〟が磨かれていくのです。

〝感応力〟とは目的遂行のための行動を、これまで身につけてきたパターンから外れないように無意識のもとに管理している実態であるかのようです。仮にその時に初めての行動、例えば消しゴムを普通は親指と人差指でつまむところを中指と小指でつまもうとしてみると、これは無意識にまかせるのでなく、意識が命令しなければなりません。そうして必ずしも上手くつまめるとは限りません。

つまり、〝感応力〟は磨かれ訓練されて感度が鋭くなるにつれ、より正確になっていくと考えられます。野球で打者がカーンといい音で球をはじき返した瞬間、外野手がある方向へ向かって全力疾走し、飛びつくようにしてグローブを伸ばす、そこへ上手く打球が吸い込まれる。このタイミングはそれこそ磨き抜かれた〝感応力〟の賜でしょう。

寿司職人のにぎり方、見事な包丁さばき、卓球選手の燕返しのような球の打ち方、柔道の極まり技の瞬間、そうしたものを見ると〝感応力〟の極致を感じます。これらは肉体的なものだけでなく、囲碁・将棋などで、プロの勝負師がある局面での着手点が瞬時に閃くのを見ると、精神的な面でも研ぎ澄まされた〝感応力〟が働くように感じます。

感応力は人間だけの〝特技〟なのか？

磨き抜かれた〝感応力〟のいくつかに触れましたが、これは人間だけの〝特技〟ではなさそうです。

訓練された麻薬犬というのは、普通の犬の一万倍もの麻薬を嗅ぎわける能力を持っているそうです。自分の意志でその訓練を受けたわけではないでしょうが、〝感応力〟なるものの大部分は意志をもってして獲得したものとは限らないと思われます。人間が犬や猫と視線が合った時、彼らにも〝感応力〟があることをまざまざと感じます。

〝感応力〟は、心の交換で感じるものだけではなく、人間が熱いものに触ってすぐ手を引っ込めるというのも反応の一つでしょう。犬や猫もそうします。あらゆる行動について、それに感知し、感応するということは人間であれ他の生物であれ、全て同じなのでしょう。植物も春が来ると芽吹き、秋には葉を散らします。向日性といって日陰の植物は明るい方向へ枝葉を伸ばします。全て〝感応力〟があるから、と考えることができるのではないでしょうか。

〝感応力〟が神秘的と思われるほどに磨かれるのも、人間に限ったことではありません。

麻薬犬の能力にとどまらず、蜂や蟻が間違いなく自分の巣へ戻り、渡り鳥は毎年海を越えてやってきて、鮭や鮎、鰻は故郷の川を遡ります。本能といわれていますが、これこそ遺伝子まで含めて極度まで研ぎ澄まされた〝感応力〟によるとしたほうが納得がいきそうです。

意識が関わらないところでの〝感応力〟の存在に納得できるのは、例えば目の前にふっと虫が飛んで来たり、あるいは誰かの手がさっと目の前に差し出された時に、反射的に目をつむってしまうような場合です。決して異物が現れたから防御のために意識して目をつむるわけではありません。あくまでも無意識的、反射的です。

脳科学的には、目の前に現れた異物を視覚が捉え、その情報が神経細胞を経由して脳に伝わり、直ちに瞼の筋肉に指令が伝達されるのでしょうが、虫の近づく距離が少し離れていたり、誰かの差し出す手の速度が遅かったりすると、別に瞼は閉じられません。これが意識の与らないところでなされます。どのあたりで閉じるよう指令が発せられるのか、その判断を下す所在点も〝感応力〟の秘密に関係ありそうです。

〝感応力〟とホメオスタシス

こう考えてくると、無意識下に状況を感知し感応する――この働きこそがわれわれの生命を維持してくれているもののようです。例えば、寒さを感じると、無意識的にぶるぶるっと震え、その運動で発熱して体温を一定温度に維持しようとします。ゆっくりして身体が安らぐと血圧が下がり、興奮すると上がります。

こうした状況に応じて合目的的に体内環境を一定範囲に保とうとする機能を指して生物学ではホメオスタシスと呼んでいるようですが、人間だけでなくあらゆる生命体が広汎なあり方でホメオスタシスの恩恵に浴しているようです。

このような見方を筆跡の世界に応用してみると、例えば「頭部突出」の縦線をあまり上へ突き出さない習慣がついているとします。何気なく「東京都」と書こうとして、「東」の第六画の中央縦線にきた時、手は自然に動いて、おそらく上への突き出しは短めになるでしょう。目をつぶって書くとどうなるかはわかりませんが、ペンの先を目で追いながら書き進んでいくとき、無意識下ではいつも通りの字になるように、運動神経を管理調整している機能が働いているはずです。この機能が〝感応力〟で、そしてこれもまたホメオスタシスの一種と考えていいのではないでしょうか。

ホメオスタシスはもともとはアメリカの生理学者キャノンの命名で、生物体の体内諸器官の、自律神経とか内分泌腺が主体となる恒常性維持機能を指すもののようですが、広義に解釈すると感応力とかなり近くなりそうです。

字を書く上での筆跡特徴の恒常性維持、これは直接的な生体維持活動とは違うかもしれませんが、高度の文明生活を営むようになった人間にとって生体維持活動の種類の幅は広がります。例えば車の運転で恒常性が保てなくなれば直ちに生命の危機に当面するはずです。

もう少し詳細にみていくと、〝感応力〟には経験とか、学習、訓練によるものと、本能によるものに分けられそうですが、ホメオスタシスは本能によるもののみに限定されているのかもしれません。そうするとあまりホメオスタシスに深入りしても論旨にずれが生じそうです。ホメオスタシスとの関係は、このあたりまでとしておきたいと思います。

感応しているのは「だれ」なのか？

「様」の字のへんとつくりの間をふと狭く書きそうになり、そこで何か苦しい感じがして拡げる書き方に転じたとすると、それが意識下であれ無意識下であれ、苦しいと感じた本人に〝感応力〟の主体があるといえます。また、冬に戸外に出て寒気を感じ、ぶるぶるっと震えたとします。ここでも感応するのは当人でしょう。

飼い犬と目が合い、ちょっと微笑むと、犬は嬉しそうに見返して尻尾を振ります。尻尾を振らせる〝感応力〟の主体は犬と言ってよいでしょう。食事をして食べ過ぎて苦しくなったとします。横になり、胃のほうにも少し休めと命令したとしても、胃は勝手に消化活動を続けています。苦しくて横になったのは自分の〝感応力〟の結果なのですが、胃には胃の都合があり、そこにも〝感応力〟の主体がありそうです。

もっとぐんと小さなところに視点を向けてみましょう。われわれの身体には血液が流れており、一立方ミリメートル中に五〇〇〇〜七〇〇〇の白血球があるそうです。その白血球は身体に有害な細菌や異物を見つけると、それを攻撃し退治します。どうやら一つ一つの白血球が〝感応力〟を持っていて、自分なりの判断で行動しているようです。

われわれヒトの身体は約六〇兆個の細胞からできているそうで、目の細胞、皮膚の細胞、内臓細胞等二〇〇種類くらいあって、中には神経細胞のように長さだけは一メートルを超す長大なものもあるようですが、大部分は肉眼では見えない微小なものです。その細胞一つ一つが細胞膜に包まれた自分の領域をもっており、中にはＤＮＡ（デオキシリボ核酸の略で遺伝情報等に関与する生命の中核成分）を含む核とか、ミトコンドリア、ゴルジ体その他いろいろの小器官がつまっています。

この細胞はそれぞれ自分の役割に応じた活動をしてわれわれが生きていくことを支えてくれており、必要とするエネルギーは循環してくる血液から補給を受け、感知すべきものを感知し、対応すべきことに対応し、老化してくるとＤＮＡの働きで自ら新しい細胞を複製して機能を引継いでいきます。各細胞がみな主体的立場を持っているのです。

ところでこの細胞の構成要素は大部分タンパク質です。一つの細胞中に含まれているタンパク質が、八〇億個くらいあるということですから驚かされます。地球上の全人口に相当する数です。このタンパク質自体はそれぞれ一つの分子で細胞のような遺伝子も持つ生命体ではありませんが、細胞を構成するタンパク質は、ちょうど人間の体内の細胞のように、八〇億個のタンパク質がそれぞれ自分の役割を務め、老化すると分解していきます。寿命は短いものではわずか数秒、長いもので数ヶ月とか……。

寿命が短いと代替補給が必要となります。細胞の重要な機能の一つにタンパク質製造の仕事があり、これもDNAの指示で休む暇なく新しいタンパク質の製造を行っています。このスピードは速いもので一秒の間に数万個に達するそうです。なにしろ八〇億個のタンパク質が次々と要交替となるのですからのんびりしていられません。この交替の仕事のことを新陳代謝と称しています。

タンパク質の新陳代謝など、われわれ人間としては全く意識外の行動です。無意識下の問題としてもわれわれ自身に関わる行動なのですが、何しろ六〇兆の細胞一つ一つがそれぞれの判断でやっているのです。〝感応力〟の主体はそれぞれの細胞にあると言わざるを得ないでしょう。

その六〇兆の細胞の一つの細胞の中に含まれる八〇億個のタンパク質、この小さな小さなタンパク質も、全て同一種類というのでなく、DNAにより配置される場所に応じての様々の機能の違いを持って作られています。当初から機能の違いを持ち、自分の役目を持って配置されるというからには、ここでもまた、小さいながらも〝感応力〟の主体の存在を認めるべきでしょう。

字の書き方の癖を支配する力。ニュートリノ？

「大」の字の縦線頭部を長く突き出そうとすると、足を引っ張られるような抵抗感からつい突き出しを短くしてしまう。そのことから〝感応力〟の存在を仮定し、論を進めてきました。その〝感応力〟の働きは字を書く上だけではなく、他の行動にも、人間だけではなく他の動物にも、植物にも、細胞にも、そして無生物であるタンパク質に至るまで同じように見られる現象ではないか、と論を延長してきました。このタンパク質は物理学上は分子です。

分子は物質の機能としての最小単位といえるものです。物質の元となるのは原子で、その組み合せで分子が生じます。タンパク質は炭素、水素、酸素等が複合してつながり、原子数が何千、何万にもなりますので高分子と言われますが、単なる水素分子は水素原子二個、酸素分子は酸素原子二個、水の分子は酸素原子一個と水素原子二個が最小単位です。そしてこれら水素や酸素の原子を構成するのは陽子、電子、中性子などの素粒子ですが、この素粒子は種類が同じであれば性質の差はなく、陽子一個と電子一個で水素原子、陽子二個と中性子二個、電子二個でヘリウムというような数量や組み合わせの違いで物質の性質が違ってくるのです。違った性質を表すということはつまり原子にも〝感応力〟があるのではないか、と考えられます。

原子の性格として最も強烈なのは、その化学反応のあり方といってよいでしょう。酸素と水素は化学反応を起こして燃え、水となります。この水のおかげで地球上の生物は生命を保てます。炭素と酸素が化合すると炭素ガスになり、結合の仕方によっては猛毒の一酸化炭素になります。酸素はまたケイ素と化合すると岩石となり、鉄と化合して錆が生じます。水素も炭素と化合し、結合の仕方でいろいろの種類のプラスチックとなります。元素は他に金銀、ナトリウム、ウラン等一〇〇種類あまりあります。もし原子や元素にも〝感応力〟があるのだとすれば、それら一つ一つが相異なる〝感応力〟を持っており、またそれらが相互に化合して様々の分子・物質となることにより新しい〝感応力〟を生み出しています。

物質の最小単位は原子です。その原子は陽子、電子、中性子から成るというのが私の若い頃からの常識のようなものでしたが、最近では陽子や中性子はさらに微細なクオークという素粒子の結合体であることがわかってきました。素粒子には、クオーク、ゲージ粒子、レプトン、ヒックス粒子などの種類があるようですが、最近脚光を浴びているニュートリノは、レプトンの一種です。このニュートリノにはいろいろの種類があり、世界中の物理学者が必死に研究を続けているようです。原子のみならず素粒子にも〝感応力〟があると捉えられるのではないでしょうか。

字の書き方の癖を支配する観のある〝感応力〟を掘り下げていくうちに、原子よりももっと先の素粒子の世界までできてしまいました。初め〝感応力〟は人間の高度の感覚能力かと思っていましたが、他の動物や植物の細胞一つ一つにおいても〝感応力〟の存在を無視できなくなり、さらには、タンパク質、分子、原子、素粒子の世界にまできてしまったわけです。

こうしてみるとどれだけ細分化していっても、質量として存在する以上は万有引力も同時に伴われていると考えられるように、質量のある物体には万有引力だけでなく〝感応力〟も同時に一体となって伴われているのではないかと考えてもよいのではないでしょうか。

〝感応力〟の最小単位を求めて

これまでのところを、少しまとめてみましょう。

「様」の字を書いた時にへんとつくりの間が狭いと苦しい、広過ぎると不安感がある等の感じ方があることから、各人ごとに、ほどよいあたりに落ち着いた書き方をすると考えられます。では、そのほどよいあたりに落ち着かせる力とは一体何なのか？　筆跡を科学するというなら当然はっきりさせたいことで、一応その力を〝感応力〟と名付けました。

次いでその〝感応力〟の作用のあり方が、字を書く以外の行動についても通じるところがあるのかどうか、またその〝感応力〟と称し得る行動管理機能が、人間以外のほかの動物ではどうか、細胞ではどうか、高分子ではどうか……等と進めていくうちに、素粒子の世界にまで入り込んでしまったわけです。

原子は物質の最小の単位とされてきました。古くは二四〇〇年前、ギリシャのデモクリトスが「原子でもって自然は万物を作る」とし、「個体が堅くて形が決まっているのは原子がお互いに密着し強く結びついてるからであり、結びつきがゆるむと液体になる。さらに原子が一つ一つがバラバラに自由に動きまわるようになったのが気体である」と述べています。二四〇〇年も前の説ですが、現代でも通用しそうな考え方です。

しかし目に見えない微小な粒子の世界のことは一般に信用される学説とはならず、大科学者ガリレオやニュートンの時代でも、デモクリトスの説はギリシャ人の夢想のように思われていました。原子に陽子や中性子で構成する原子核があり、そのまわりを原子が回っているという現代の原子物理学が確立してからまだ二〇〇年足らずです。その原子の大きさは一億分の一センチぐらいだそうです。

この原子があらゆる物質の極限の最小単位だとするならば、万有引力や〝感応力〟の最小単位あるいは萌芽もそこにあると考えてよいかもしれません。そしてその仮定から出発すると、われわれの住むこの世界での全ての現象を支配する姿が、ある程度納得できそうな気がしてきます。

万有引力については最小単位の量が増えていけば、全体として大きさはその単純な積でしょう。われわれの生活圏、全ての物体、さらに地球から太陽、全宇宙が万有引力に基づくニュートンの古典力学によって働いているとして、ほぼ支障はありません。

一方〝感応力〟については、これは単純な累積ではありません。例えば酸素と水素とそれぞれ固有の特性を持っていますが、単なる混合体と酸素原子一個・水素原子二個で化合した水とではまるっきり違います。炭素原子一個・酸素原子一個の猛毒の一酸化炭素に酸素原子がもう一つ加わると二酸化炭素、つまり炭素ガスとなり、これもまるっきり違います。

原子には原子量一の水素から原子量二〇〇を超えるウラニウム等の重金属まで一〇〇種類以上あり、それぞれが様々な性質を持っています。その原子が単独で、あるいは他の原子と化合し、その化合のあり方によっては複雑きわまりない高分子となり、その高分子同士が堅密に結びつき合って生命体を生じたりしています。

酸素と水素が結合した水、これも小さな一滴から水たまりとなり、川となり海となると性格が変わります。また南極では氷山となり、蒸発して雲となり、雨となり雪となります。どの段階にあっても水は意識してその行動をしているわけではないでしょうが、意識がないからと軽視するのもどうかと思います。人間にしても無意識的な行動がいかに多いことか！　しかも一旦強い癖がつくと無意識ながらいつも同じ行動をしています。水の動きと格段変わることはありません。

感じて応ずるという言葉から、物質的な世界を超えた、高度に精神的な出来事を連想する人もいるかもしれませんが、その精神性を獲得したとする人間も原点は原子・分子であり、その組み合わせであり、集積体です。すなわち、〝感応力〟ももともとは原子に発するものであって、神秘的なものとも非科学的なものとも考える必要はなく、地道な研究対象としてよいと思うのです。

〝感応力〟を科学的に位置付ける試論として

評論家、立花隆氏の書『サイエンス・ミレニアム』（中公文庫）によると二十世紀末の時点での物質は原子の段階からさらに微小化され、宇宙に存在する物質は全てクオーク（陽子・中性子等を構成する素粒子）、レプトン（電子に近い微小素粒子）から構成されていることが標準理論になっているようです。この理論はヒッグス場の理論と言われ、自然界における質量と、電磁力、核力、万有引力等にかかわる根源的な場の理論ですが、まだ最終的な検証には至っていないようです。

科学は日進月歩で進化していきます。ギリシャのアリストテレスの頃には、物質を構成する元素として地・水・風・火の四つがあげられ、すべての物はこれらの適当な混合と考えられていました。前にあげたデモクリトスの原子論よりもアリストテレスの理論がキリスト教の教義と合致するところがあって、その後の西洋の歴史では千何百年間も自然観の大勢となっていたようです。そのような時代に〝感応力〟の理論が出たとすると、おそらくアリストテレスの理論を土台としたものになったでしょう。

〝感応力〟を科学的に解析しようとすると、どうしてもその時点の最新の科学理論に基づかざるを得ません。人間の行動の中での〝感応〟という現象にメスを入れ、その現象が犬や猫の他の動物にも認められ、植物にも認められ、身体の各器官、細胞にも認められ、それら細胞を構成する分子、原子にも推定されるとしたときにその理論を土台に構築されたのが私の〝感応力〟理論です。

しかし天動説が地動説に代わり、最終的な秩序大系が確立されたとするニュートン力学がアインシュタインの相対性理論に取って代わられたように、これからの科学は永劫進化発展を続けそうでもあります。とするならば当面での一つの立脚点となる仮説はほしい――と考えて、次のようなことを考えてみました。

アインシュタインは相対性原理の公式として次の式を挙げました。

$E = mc^2$　（エネルギー＝質量×光速の二乗）

この式の意味するところは質量とエネルギーは本来同じもので、質量にある数を掛ければエネルギーになるということです。その掛ける数は光速×光速で厖大なものです。光速自体、一秒間に三〇万キロメートルという速さですから、三〇万×三〇万＝九〇〇億で、一グラムの物質が九〇〇億のエネルギーになるということです。その途方もない原子物理学の理論が、広島・長崎の原子爆弾となって証明されたのでした。

このアインシュタインの公式に加え、エネルギーについては「エネルギー量子」というものがあり、広辞苑に載せられている「量子」の説明を見ると「不連続な値だけを持つ物理量の最小の単位。物質の発する輻射エネルギーについて先ず発見され、エネルギー量子と呼ばれた」とあります。つまりエネルギーなるものはどこまでも小さく分割できるものでなく、不連続ですから一番小さいものが一個一個……と集まったものであり、その一番小さいものがエネルギー量子ということになります。そうするとこのエネルギー量子をE_0としてアインシュタインの公式にあてはめると、

$E_0 = m_0c^2$（m_0はEがE_0の時の質量）

となります。そしてCの二乗は九〇〇億ですから物質で一番小さいものはエネルギーの最小単位のそのまた九〇〇億分の一という微小さで、それ以上は分割不能の不連続質量となります。〝感応力〟がどこに宿るのか、結局いきつくところは質量の最小単位m_0というところになりそうです。質量は物質そのものともいえ、万有引力も同じものであり、そこに同時に〝感応力〟も備わっているということでもありましょう。そしてその一番小さい単位、すなわち、エネルギーが物質に凝縮する一番小さい単位として〝凝子〟と命名してもよいのではないかと私は考えました。

量子力学では素粒子の最小のものとして光子は静止質量ゼロとされ、ニュートリノには質量があるのかないのか追求の的になったりしているようです。しかし、質量がないものなら素粒子とするのはおかしいような気もします。光にしてもX線にしても、飛んで来るのは粒子ではなくエネルギーそのもので、高エネルギーであるほど高い内部振動性を持っていると考えるのはどうでしょうか。それが何かに衝突し、透過し、反射し、あるいは吸収される過程の中でそのエネルギーが熱となったり、運動量となったり、質量に転化したりするといえそうです。そう考えればつまり高速で飛ぶものは全て内部振動量を持ったエネルギーそのものとなります。

そしてこの中に質量や〝感応力〟の萌芽があると私は考えたいのですが、皆さんはどう思われるでしょうか。

旧約聖書では第一章の冒頭で神が「光あれ」と言われたところから世界が出発したとされていますが、全宇宙の大本が高エネルギーであったことを、古代の人も感知していたのだろうと思います。

仮説～〝凝子〟から感応力へ

私は物理学者ではないので量子力学の専門的なことまではわかりませんが、先ほども述べましたように、アインシュタインの有名な公式、

エネルギー＝質量×光速の二乗

と、量子力学でのいうところのエネルギー量子（エネルギーのデジタルな最小単位）という存在が正しいとすると、それをアインシュタインの公式に当てはめれば、エネルギーの最小単位に対応する「デジタルな物質の最小単位」が出るわけです。これに私は〝凝子〟と名付けたいと考えたことを前節で触れました。

さらに仮説を進めていくと、こうして生まれた原初の〝凝子〟が整数個結合してさまざまな素粒子を作っていきます。その結合のあり方によって素粒子の性質の変化も著しいはずです。例えばテーブルの足が一本になるか、二本、三本、四本……となるかで安定度の違いが決定的になっていくのと同じでしょう。原子はこの素粒子の組み合わせによって構成され、その原子が水素から炭素、酸素、鉄その他数多くの元素になり、元素は分子を構成し、高分子を生じ、それが生命体へと発展していったと考えてはどうでしょうか。そして、この発展の舵取りをするのも〝感応力〟だと想定してもよいのではないでしょうか？

重力は物質の集積により積算的に増大していきます。しかし、前節でも触れたように、〝感応力〟は単純な増大ではありません。水素が核融合してヘリウムになると全く別の性質ができるように、〝感応力〟は、法則性は持ちながら無限の変化をしていきます。人間に働く〝感応力〟はその変化の中でも最高に発達したものと考えてみれば、様々な変化を持ちながらも一つの秩序を形成している筆跡というものの力を説明できるようにも思うのです。

そして、〝感応力探求の旅〟は宇宙の始まりへ

アメリカの理論物理学者ガモフが、宇宙の始まりはある一点でのビックバン（大爆発）だったという説を出したのは、太平洋戦争が終わって早々の頃だったと思いますが、その節は現在でも定着しているようです。

日本の理論物理学者、佐治晴夫氏の著書『宇宙の不思議』（PHP文庫）によると、その「ビックバン」から一〇のマイナス四三乗秒経過したくらいの時点でのことについて、

「そのときの宇宙の大きさはおよそ一〇〇分の一ミリメートル、温度は一〇の三二乗度、密度は水の一〇の九六乗倍くらいだったでしょう。この想像を絶する強い重力場が、生まれたばかりの空間から光の粒子であるフォトン、電子に代表されるレプトンと呼ばれる粒子たち、陽子や中性子などで代表されるハドロンをつくるためのクオークと呼ばれる粒子たちをしぼり出すように生み出されていったようです」

と書かれています。

宇宙創成の原初の時点での宇宙の大きさや温度、密度など、数字を挙げて出せる現代の物理学に感心しますが、ただ宇宙にはアマチュアな私には爆発の結果物質が生まれたというより、

物質誕生の結果爆発が生じ、宇宙の生成が始まったように思えるのです。

私は宇宙誕生以前にはそれこそ全くの無だったと考えます。時も物も空間もエネルギーもなく、しかし、そうすると「無があった」と言えるかもしれません。そして無があるとすると対称的に有の存在が考えられます。そして有とは無に対するものであるから意志であり、エネルギーであり、宗教家は神と呼ぶのかもしれません。そのエネルギーが凝縮して〝凝子〟となったと考えたいのです。

前掲佐治博士の本の中に「1／fゆらぎ」という言葉が出ています。このゆらぎとは物理量の観測値ではほとんどあらゆる現象に見られることのようです。宇宙の意志に生じたゆらぎのある一瞬、全体に緊張が走り、その意志、すなわちエネルギーは凝縮して物質に転化したのではないでしょうか。

意志にもエネルギーにも体積はありません。しかし、〝凝子〟に転化すると、〝凝子〟がいくら小さいものであっても無限に多い数量になれば、押し合いひしめき合うことは当然です。無限大とも言える物質のひしめき合いです。そこには超高圧、超高温が発生します。それは大爆発を引き起こすでしょう。大爆発の結果物質が生成したのではなく、先に物質ができて大爆発が起こったと考える方が理に適った考え方のような気がしますがどうでしょうか。超高圧のもとでは爆発という運動エネルギーが発生します。超高圧で超高温を引き起こすと熱エネルギーが生じます。電磁エネルギーともなるでしょう。この仮定に立つなら「はじめに光ありき」ではなく、原初の意志エネルギーの物質への転化が、二次エネルギーとして、光や熱、運動量を生じたと考えるほうが納得できる説明になるでしょう。

「宇宙の始まり」と「今ある私たち」をつなぐ力として

原初の無に対応する有としての宇宙の意志あるいはエネルギーは、意志の性格を持つからには何らかの方向があるはずです。その方向志向こそが原初の〝感応力〟ではないかと私は思うのです。

生物体が行動する時、デタラメな行動ではなく方向指向があることは理解されやすいでしょう。宇宙の原初の意志に「ゆらぎ」が作用して〝凝子〟へと転化していくとき、その意志に備わっていた〝感応力〟が舵取りをして、〝凝子〟に凝縮する方向を選択させたと考えてみると、「宇宙の始まり」と「今この地球に存在している私たち」とのつながりが見えてくるようにも思うのです。

この前提に立って推論を進めるなら、エネルギーの最小単位からの転化に相当する〝凝子〟は、極小ながら、質量、体積、〝感応力〟の分け前をもらうことになります。質量は万有引力や熱量、運動等物質としての作用の実体となり、〝感応力〟はその作用のあり方の舵取りをします。この質量と〝感応力〟がからみ合って、結合、分解、進化、発展、生成、誕生等、様々の現象が発生していきます。このように考えれば、〝凝子〟は全く単純な物質でよいはずです。なぜなら、現代文明の根幹になりつつあるコンピュータも、もともと「１」と「０」の組み合せを積み上げていったものに過ぎないのですから。

エントロピー増大の法則というものがあり、この法則に従えば万物は窮極は均らされ平均化され、死の世界へ向かうことになりますが、生命の誕生とか進化とか、これに逆行する現象もあります。これはおそらく〝感応力〟の存在による舵取機能の作用の結果と考えていいでしょう。物質が質量・体積のみの存在であるとするなら、エントロピー増大の法則に完全支配される世界となるでしょうが、〝感応力〟の舵取機能がそれに対抗したからこそ、進化、発展、突然変異などの現象も生み出されることになったと考えることができるのではないでしょうか。私の見るところ、原初の宇宙の意志から分け与えられた〝感応力〟は、どうやら宇宙の隅々まで行き渡っているようなのです。

さて、「大」の字の筆跡特徴の一つである「横線の上に突き出す縦線の長さが何を表わすのか」の分析は、とことん突きつめるとこうして宇宙論になってしまいます。私は物理学者でないのでかなり怪しげな記述もあったかもしれませんが、筆跡に秘められた力の奥深さをお伝えしたいと思い、まだまだ不十分な仮説の段階ながら私見を述べさせてもらいました。

心のサプリメントとしての効用や、歴史学への新しい視点の提供なども含め、やや大げさにいうなら治筆文明の展開等、筆跡学の将来は必ずや大きな収穫をもたらすはずです。

本書でご紹介した筆跡研究の成果が皆さん一人ひとりにとって、これからの生活の中で出会う様々な場面において一つでもお役に立てるよう念願して締めくくりたいと思います。

謝辞～皆様への御礼と、今後の筆跡学の更なる発展に期待をして

今、私たちが享受しているインターネットの時代は、ある一つのアイデアが極めて短時間のうちに広く伝播しやすいという特徴を持っているようです。そして、そのアイデアの広がり方がどの程度のものかということも、検索という技術を使って一望できる。それもまたインターネット時代ならではの特質でしょう。

いろいろな縁のつながりから、私が「筆跡と人の性格や心理との関係」というものに興味を覚え、その研究という道に入り込んだのは今から四十年以上前のことになりますが、その頃は「筆跡診断」ということをお話ししても、正確に理解してくれる人は稀なことで、「筆跡鑑定」と取り違えて理解されることがよくありました。四十年前の日本では、筆跡と人間心理の関係に関する研究が、社会的な価値と認知されるような土壌が育まれていなかったのです。

それが今では、インターネットで「筆跡診断」と検索すると、その説明の記されたページがすぐに出てきます。筆跡診断士の方々が活躍されている様子も目のあたりにすることができます。私たちが主宰してきた筆跡診断士協会は「日本に筆跡診断士という資格を根付かせたい」と願って長年活動してきたわけですが、まだ道半ばとはいえ、その成果の一端がこのような形で実現す

る時代を迎えられたことを、大変嬉しく思っております。

さて、この度の拙著『筆跡の科学』刊行に際しましては、本当にたくさんの方々からご尽力を賜りました。皆様へ心より御礼申し上げます。

本書の題名の肩書きに「新版」と添えさせていただいたのは、一つには、筆跡診断士協会内部での教科書的位置付けとして私が執筆した原本があるためですが、筆跡の研究という世界に初めて触れる読者の方々の便宜も考慮し、構成から説明の文章までを全面的に見直した上で、筆跡特徴の類型一覧表など新たな要素も加えた、文字通りの「新版」という意味も含まれております。

全国版の書籍として、私の筆名である「森岡恒舟」の名前を冠したものはこれまでも数冊あったわけですが、本書の内容は、『筆跡の科学』という題名からも推察していただけるように、人口に膾炙することを意図せず、もっとも純粋な形での「筆跡の研究書」を目指したものといえます。それだけに、本書を通じて初めて筆跡の奥深い世界を知る読者の方々には、やや専門的な説明と感じられるところもあろうかと思いますが、筆跡への理解が深まるにつれ、最初はいぶかしく思われたこともやがては腑に落ち、さらに深い理解へとつながっていくであろうということは、現在広く活躍されている筆跡診断士の先輩の方々が何より証明しているところです。

本書がこのような形で日の目をみることになりましたのは、本書の冒頭に特別寄稿をいただいた七沢賢治先生との出会いに端を発します。「言霊」（げんれい）を研究されてこられた七沢先生との出会いは、奇しくも同じ「霊」という語に「筆」を合わせた「筆霊」（ふでだま）というものの存在や価値を追究していた私にとって、必然の奇遇とも呼びたくなるような縁でもありました。その後、七沢先生には公私に渡りご厚誼をいただき、さらには特別寄稿という場を通じて、長年の研究への励ましと、この先の筆跡学の大いなる可能性について示唆いただきました。誠に感謝の念に堪えません。

人の縁はいつどのようにして開かれるものか、私自身が筆跡研究者になった経緯を省みても不思議に思いますが、七沢先生との出会いを取り持ってくれたのは西村博美さんという筆跡診断士の方です。西村さんは筆跡研究の前から長く前衛書を学ばれてきた、実力を高く評価されている書家の一人なのですが、その西村さんがある時、書の世界にもつながる筆跡の研究に強い関心を持たれ、中部地方に位置する自宅から毎月何時間もかけて東京の協会まで通い、筆跡診断を学ばれたのです。西村さんのその熱意がなければ、『筆跡の科学』の全国版が誕生することもおそらくなかったことでしょう。本書の恩人と呼ぶべき方であり、改めて御礼申し上げる次第です。

本書の制作においては、和器出版編集部の皆さんに大変お世話になりました。原本からの文字起こしや校正、画像の出所確認などに力を注いでくださった石黒達也さん、小原田氣子さん、石井泰良さん、松林寛子さん、高橋知子さん、昆佐央理さん、そして、本書の主担当として構成から全般に渡りサポートをしていただいた加藤佳代さん、デザイナーの松沢浩治さん、社長の佐藤大成さんに深く感謝申し上げます。

本協会を通じて筆跡診断の要諦を学んでこられた皆さん、今活躍されている筆跡診断士の皆さん、そして協会事務局のスタッフのみなさんにもこの場を借りて心より感謝申し上げたいと思います。日本筆跡診断士協会が今日あるということ、そして本書の刊行が実現できたのは、何より皆さんが筆跡の研究に興味関心を持って学びを続け、広めてきてくださったおかげなのです。

冒頭に記したように、今はインターネットの全盛時代ですから、「筆跡の研究は時代遅れではないか」という見方もどこかにはあるのかもしれませんが、筆跡の特徴がはからずも示しているように何事にも両面があるものです。パソコンやスマホを使えば文字を書く必要もない時代、そこには良い面もありますが、一方で見失いがちなこともあります。その一つは、文字を書くという経験が、人間の能力開発にとって、常識的に思われている以上の役割があるということです。

近年の脳科学の発展により、「書字」という行為が非常に広範囲にわたる脳の機能を同時に鍛え、創造性を養うことにつながるということがわかってきました。漢字を書く場合とひらがなを書く場合では、脳は別の回路を使うのだそうです。使えば使うほど活性化するのが脳の働きですから、文字を書くということは、その人の能力そのものを高めることにもなるということです。

いただいた特別寄稿の中で、文字を書く行為をボディワークに見立てながら、近い未来においては「筆跡から心身を治療する」段階にまで到達するのではないか、と七沢先生が示唆くださっている筆跡学の可能性ということも、こうした脳と身体に関する最新の研究成果を土台にしたものだと思いますから、私のみならず、日々筆跡の研究をされている筆跡診断士の皆さんの未来にとっても、重要なヒントになることではないかと思います。

その辺りまで広く視野にいれながら、筆跡診断士の皆さんには、今後さらなる研究を進めていただいて、筆跡学の科学性、普遍性を高めていってほしいと願っております。

最後に、私事で恐縮ですが、家族への一言を添えさせていただきます。

妻の敏子は、長年、私の筆跡研究という仕事と協会運営の支え役として、外からはなかなか見えない煩雑な仕事を受け持ってもらった上に、私にとってはもっともよき相談相手であり続けてくれました。感謝という言葉では言い表せないほどの恩義も感じておりますが、そうしたもろもろの気持ちも含めて「ありがとう」の一言に約めて贈らせてもらいたいと思います。娘の絵里は、以前より、協会運営の業務を補佐してくれておりました。本書の完成を機に、後進の方々とともにに、より一層の役目を果たしてくれるものと期待しております。

他にもお名前を挙げきれないほど多くの方々のお世話になりまして、筆跡研究という世界が社会の一石となり、その恩恵を受けて私もいまもなお研究者としての場所をいただいております。そのことへの恩返しは、いまだ途上にある筆跡研究の理論をさらに精緻に磨き、皆さんの役に立つ実用の科学としての地位を築くことによって成就されるのではなかろうかと勝手ながら考えております。

同時に、私自身のライフワークとして、筆跡の原理と宇宙の根本原理の関係を解き明かす、いわば「筆跡宇宙学」の探求にも力を注いでいきたい、そんな気持ちでおりますが、そろそろ本書の締めくくりのところまでやってまいりました。

本書でご紹介した筆跡の研究が読者の皆さまの人生の一助になりますように、と切に祈念して、終わりの言葉としたいと思います。

令和二年　三月吉日

森岡恒舟

■筆跡・型一覧

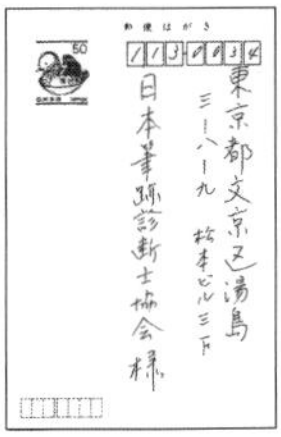
郵便はがき
113-0034
東京都文京区湯島
三ー八ー九 松本ビル三F
日本筆跡診断士協会 様

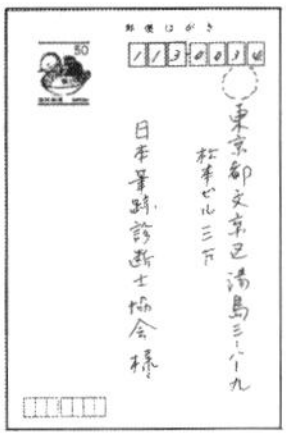
郵便はがき
113-0034
東京都文京区湯島三ー八ー九
松本ビル三F
日本筆跡診断士協会 様

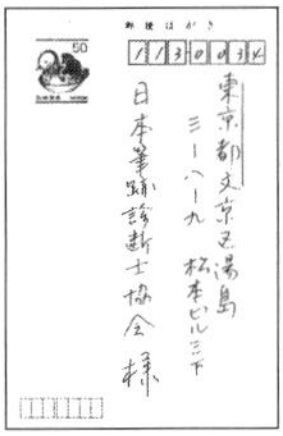
郵便はがき
113-0034
東京都文京区湯島
三ー八ー九 松本ビル三F
日本筆跡診断士協会 様

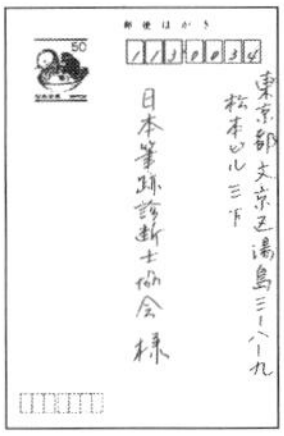
郵便はがき
113-0034
東京都文京区湯島三ー八ー九
松本ビル三F
日本筆跡診断士協会 様

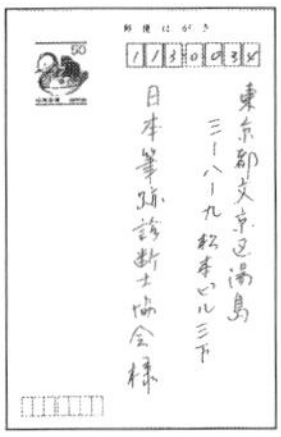
郵便はがき
113-0034
東京都文京区湯島
三ー八ー九 松本ビル三F
日本筆跡診断士協会 様

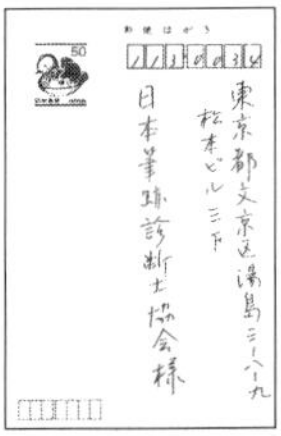
郵便はがき
113-0034
東京都文京区湯島三ー八ー九
松本ビル三F
日本筆跡診断士協会 様

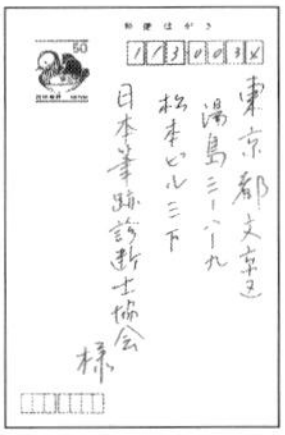
郵便はがき
113-0034
東京都文京区
湯島三ー八ー九
松本ビル三F
日本筆跡診断士協会
様

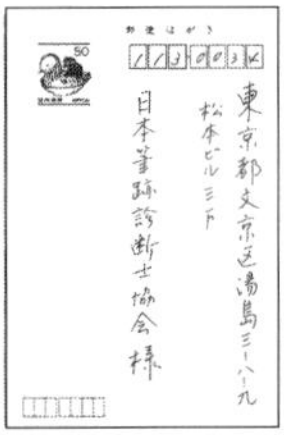
郵便はがき
113-0034
東京都文京区湯島三ー八ー九
松本ビル三F
日本筆跡診断士協会 様

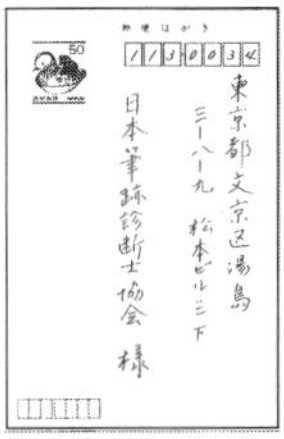
郵便はがき
113-0034
東京都文京区湯島
三ー八ー九 松本ビル三F
日本筆跡診断士協会 様

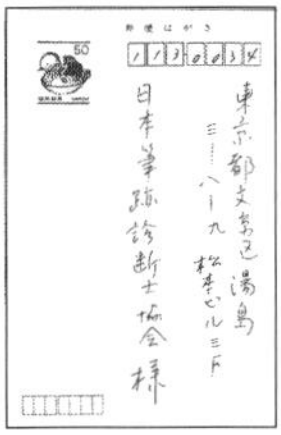
郵便はがき
113-0034
東京都文京区湯島
三ー八ー九 松本ビル三F
日本筆跡診断士協会 様

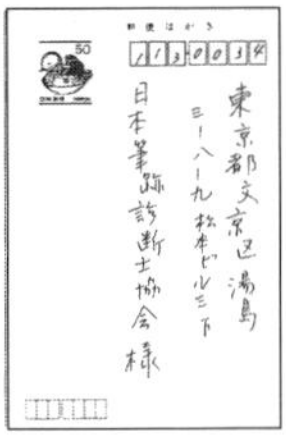
郵便はがき
1130034
東京都文京区湯島
三一八一九 松本ビル三下
日本筆跡診断士協会 様

郵便はがき
1130034
東京都文京区湯島
3-8-9
松本ビル3下
日本筆跡診断士協会 様

郵便はがき
1130034
東京都文京区湯島三一八一九
松本ビル三下
日本筆跡診断士協会
様

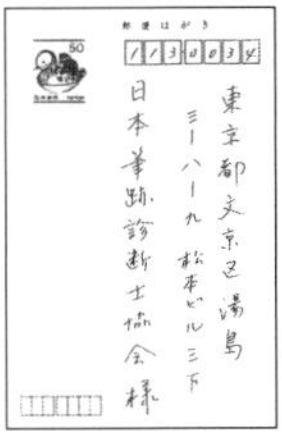
郵便はがき
1130034
東京都文京区湯島
三一八一九 松本ビル三下
日本筆跡診断士協会 様

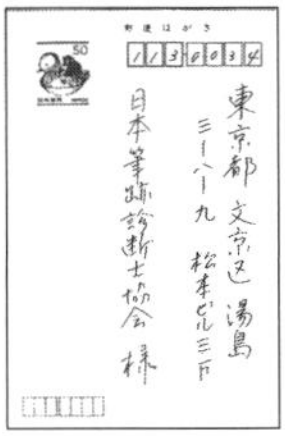
郵便はがき
1130034
東京都 文京区 湯島
三一八一九 松本ビル三下
日本筆跡診断士協会 様

郵便はがき
1130034
東京都文京区湯島
三一八一九 松本ビル三下
日本筆跡診断士協会 様

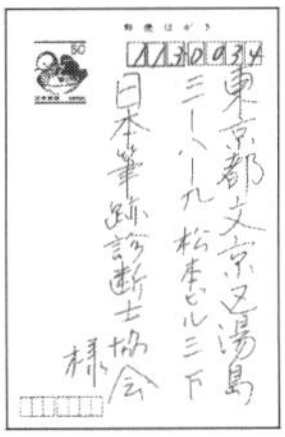
郵便はがき
1130034
東京都文京区湯島
三一八一九 松本ビル三下
日本筆跡診断士協会
様

郵便はがき
1130034
東京都文京区湯島 三一八一九
松本ビル三下
日本筆跡診断士協会 様

■筆跡・人名・型一覧

掲載作品画像の所蔵元・引用先一覧

筆者名	所蔵元、引用元	掲載書名等	ページ数
鑑真和上	東京大学出版会	古文書時代鑑	18、59
欧陽詢	三井記念美術館	九成宮醴泉銘	45、108、163
聖徳太子	東京大学出版会	古文書時代鑑	59、223
一休宗純	東京大学出版会	古文書時代鑑	59、86
徳川家康	東京大学出版会	古文書時代鑑	59
楠木正成	東京大学出版会	古文書時代鑑	59、92
田中角栄	自由民主党	自由民主党立党 30 周年記念歴代総裁　昭和 60 年色紙カレンダー	66
三木武夫	自由民主党	自由民主党立党 30 周年記念歴代総裁　昭和 60 年色紙カレンダー	66
福田赳夫	自由民主党	自由民主党立党 30 周年記念歴代総裁　昭和 60 年色紙カレンダー	66
大平正芳	自由民主党	自由民主党立党 30 周年記念歴代総裁　昭和 60 年色紙カレンダー	66
中曽根康弘	自由民主党	自由民主党立党 30 周年記念歴代総裁　昭和 60 年色紙カレンダー	66
平重盛	東京大学出版会	古文書時代鑑	72
明智光秀	東京大学出版会	古文書時代鑑	72
伊藤仁斎	東京大学出版会	古文書時代鑑	72
小野道風	東京大学出版会	古文書時代鑑	75
大塚正士	致知出版社	致知　1984 年 12 月号	77
村井勉	致知出版社	致知　1985 年 5 月号	77
平岩外四	致知出版社	致知　1986 年 12 月号	77
最澄	東京大学出版会	古文書時代鑑	80
大燈国師	大仙院（京都府）	與宗悟大姉法語	80
真田幸村	東京大学出版会	古文書時代鑑	80
大久保利通	東京大学出版会	古文書時代鑑	80
源義経	東京大学出版会	古文書時代鑑	86、173
武田信玄	東京大学出版会	古文書時代鑑	86、180
吉田松陰	東京大学出版会	古文書時代鑑	92
快川紹喜	東京大学出版会	古文書時代鑑	94
川端康成	川端家 二玄社	文士の筆跡	123
坂口安吾	坂口家		123
橘逸勢	東京大学出版会	古文書時代鑑	148
木村功	個人蔵		151
空海	神護寺（京都府）	灌頂暦名	158
虞世南	三井記念美術館	孔子廟堂碑	163
岡倉天心	横山大観記念館	漢詩「無題（仰天有始）」	168
織田信長	東京大学出版会	古文書時代鑑	178
顔真卿	清雅堂	顔真卿建中告身帖	198
紀貫之	五島美術館	寸松庵色紙	210
大石良雄	東京大学出版会	古文書時代鑑	210
豊臣秀吉	東京大学出版会	古文書時代鑑	215
松下幸之助	自署サイン		215
有吉佐和子	致知出版社	致知　1984 年 12 月号	219
東条英機	無題（著者所蔵書より）		226
板垣征四郎	無題（著者所蔵書より）		226
木村兵太郎	無題（著者所蔵書より）		226
武藤章	無題（著者所蔵書より）		226
中原中也	個人蔵	『津村信夫書簡・来簡集』	245
石川啄木	毎日新聞社	『別冊一億人の昭和史　昭和詩歌俳句史』正岡子規から谷川俊太郎まで	273

■著者略歴

本名　森岡博史(もりおか・ひろし)
筆名　森岡恒舟(もりおか・こうしゅう)

１９３３（昭和８）年　広島県に生まれる
１９５９（昭和34）年　東京大学文学部心理学科卒業（卒論の内容は形態分析）
主として人事・労務管理畑を経験の後、１９７５（昭和50）年書道学院設立
１９８０（昭和55）年　この時期から筆跡学研究に没頭
１９８２（昭和57）年　相藝会 書道教育学院を設立
１９８３（昭和58）年　光文社より『筆相判断』出版以後、角川書店より『筆跡が運命を変える』、
致知出版社より『社長の筆相学』、ミオシン出版より『グラフォログの秘密』出版
１９８４（昭和59）年　書道教育月刊誌『相藝』発行、現在に至る
１９８５（昭和60）年　警視庁嘱託筆跡鑑定人となる
１９９２（平成４）年　筆跡診断士育成の仕事にかかる
１９９４（平成６）年　日本グラフォログ協会（現在の日本筆跡診断士協会）設立
１９９９（平成11）年　旬報社より『ホントの性格が筆跡でわかる』出版
２０００（平成12）年　日本筆跡診断士協会会報『筆跡』創刊
２０１９（令和元）年　12月末時点での正式鑑定書作成総数４７３件
☆その他鑑定所見書・反論書・意見書等多数
テレビ出演、新聞、雑誌への寄稿多数

■現在の職務
相藝会 書道教育学院学院長
日本筆跡診断士協会会長
相藝会 筆跡鑑定研究所所長

森岡恒舟（もりおか・こうしゅう）

1933（昭和 8）年、広島県に生まれる。筆跡研究者。1959（昭和 34）年東京大学文学部心理学科卒業後、書道の教師などを経て、筆跡研究の世界へ。古今の多種多様な書や著名人の自筆原稿などを元に「書かれた文字にはその人の行動傾向が象徴的に現れる」とする仮説を「人間心理」との関係から裏付ける研究に取り組む。その成果を「森岡筆跡学」として確立。筆跡診断士や筆跡鑑定人の育成にも貢献している。http://sogeikai.com/index.html

筆跡の科学

「書は人なり」という真理

2020年 3 月19日 初版第1刷発行

著 者　森岡恒舟
発行者　佐藤大成
発行所　和器出版株式会社
住 所　〒104-0061 東京都中央区銀座1-14-5 銀座ウイングビル5階
電 話　03-5213-4766
ホームページ　http://wakishp.com/
メール　info@wakishp.com

デザイン　松沢浩治（ダグハウス）
印刷製本　シナノ書籍印刷株式会社

ISBN コード 978-4-908830-17-4
※定価は裏表紙に表示してあります。

本書ご購入のみなさまへ

『筆跡の科学』の刊行を記念し、**本書をご購入された読者の方限定の特別特典**をご用意いたしました。
通常は有料の筆跡診断が無料で受けられる特典です。

【応募方法】

①弊社 HP（和器出版）の特設サイトにアクセスし、下記のパスワードをご入力ください。筆跡診断用紙のダウンロード画面になります。

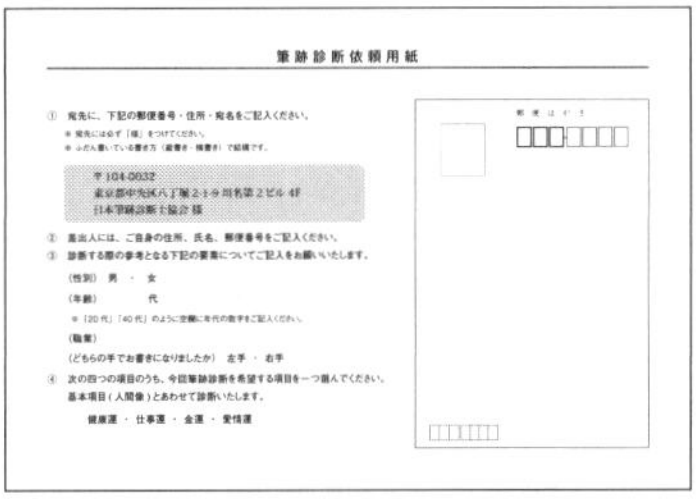
筆跡診断依頼用紙

① 宛先に、下記の郵便番号・住所・宛名をご記入ください。
※ 宛先には必ず「様」をつけてください。
※ ふだん書いている書き方（縦書き・横書き）で結構です。

〒104-0032
東京都中央区八丁堀2-1-9 川名第2ビル 4F
日本筆跡診断士協会 様

② 差出人には、ご自身の住所、氏名、郵便番号をご記入ください。
③ 診断する際の参考となる下記の要素についてご記入をお願いいたします。
（性別） 男 ・ 女
（年齢） 代
※「20代」「40代」のように空欄に年代の数字をご記入ください。
（職業）
（どちらの手でお書きになりましたか） 左手 ・ 右手
④ 次の四つの項目のうち、今回筆跡診断を希望する項目を一つ囲んでください。
基本項目（人間像）とあわせて診断いたします。
健康運 ・ 仕事運 ・ 金運 ・ 愛情運

郵便はがき

※サンプルです

②筆跡診断用紙を印刷し、必要事項をご記入の上、筆跡診断士協会までご郵送ください（詳細は HP 上にてご確認ください）。

和器出版ホームページ特設サイト：
http://wakishp.com/archives/4477
パスワード：hisseki_2020

【応募期間】 2020 年 6 月末日消印有効

※なお応募期間が過ぎても、有料での診断は随時行っています。
詳しくは、下記にお問合せください。
日本筆跡診断士協会　03-6280-3635